新 潮 文 庫

ハ ゴ ロ モ

よしもとばなな著

ハゴロモ

私のふるさとであるその町は、川の隙間《すきま》に存在するようなところだった。夏はわりと涼しいが、冬はとても寒く、山のほうではたくさん雪が降る。

町の中心を流れるその大きな川はいくつにも限りなく枝分かれし、町中を蜘蛛《くも》の巣のようにめぐっていた。大きな部分とは対照的に、その細い流れは夜にはぬめった黒く光る糸のように見えた。

どこを歩いていても川の音が、闇《やみ》の中をついてくるようだった。町中に大小さまざまな橋があり、橋はある種のリズムを作り、その川ばかりの景色の中でまるで句読点のように人々をふと水辺に向かって立ち止まらせていた。

町中の人が眠るときも、その夢にはいつでも川の気配がよりそっていたし、彼らの人生が様々な展開を見せるとき、心の背景にはいつも川があった。

雨上がりの朝などには、まぶしい光の中で、水量を増した川はまるで生き返ったかのように激しく流れゆき、乱暴にきらめいた。午後はからからに乾いた水辺の草が、むっとするような青臭いにおいを空気に解き放った。

そんなことの全《すべ》てが本当に好きなのかどうか、私には、時々ほんとうにわからなくなった。ふるさとのイメージはいつも流れ行く川の水だった。時には澄み時にはにごってどんどん行ってしまう水のせいで、人々がちょっとぼうっとしてしまうような町。川は人を、半分眠っているような気持ちにさせる。

何か大切なことを忘れているような気がしてくる。

そしてそういう景色には、見ている側の甘えをきっぱりと拒むような、何かぞっとするところもあった。

うさぎか猫かわからない何かの死体を見てしまうこともあるし、犬のうんこを踏んだりもする。草と草の間は虫でいっぱいだし、対岸の洗濯物が薄汚れて見える日もある。カップルは愛し合っては残骸《ざんがい》を残す。ものごとはきれいな面だけではない。

もちろん澄んだ流れの中に虹色《にじいろ》の魚がきらめくところを見ることも、青い空の色が水に映ってもっときれいに見えることもあった。敷石をいつまでも光が照らしている夏の夕方に、幼い頃と同じ気持ちでいつまでも歩いていくこともできた。いつの時代でも、疲れているときには土手にすわっているだけで気持ちが晴れた。流れる水はいつでも惜しみなく目の前をどんどん過ぎていって、もう戻ってこない。風が吹きわたり、景色は時間につれてぼんやりと、でも確実に変化してゆく。足もとのヒメジョオンをじっと見て、糸みたいな花びらを触る。川風が顔に吹きつけてきて、その涼しさに考えも明晰《めいせき》になる。その瞬間の感じは、何回くりかえしても減ることがないばかりか、毎回新しい。

きっとこの世のなにごとも長いことじっと観察していればみんなそんな様子をしているのだろうけれど、私にそれを教えてくれたのは、川だった。

冷たくなってきたおしりをぱんとはたいて立ち上がるとき、世界の意味がほんの少し近しくなっているのを感じる。

自分の薄い肌の下に息づくしくみが、目の前に大きく広がる全てとそう変わりはないのだと実感できる気さえする。

壮大な考えとみみっちい心配の全てがこの景色のように無造作に、でも美しい秩序を持って存在している。そして、これが私に見える世界だ、でもほんとうはもっともっと大きいものに違いない、そういうどきどきした気持ちになる。

川の流れを見つめていると、ただそうしているだけで無限に何かを蓄えている感じがする。

川辺で触れ、見ることができる全てのものが私の肉体や魂に活気を与え、充電しているのを体で感じる。地面から、空の色から、見渡せる町の光や車や、そういった全て、人々の生きていく営みの活気や、草の色や、小さな生き物たちや、流れていく巨大な雲。かすかに聞こえてくる音が耳に響く様子……きっとそれぞれの町でそれぞれの人間が、それぞれの場所からもたらされる特別でありながらも平凡なそういう癒《いや》しを受け取りながら、この世界を生きているのだろうと思う。

　その冬私はとてもまいっていたのでしばらくふるさとに帰って、祖母が趣味でやっている川沿いの小さな喫茶店を手伝っていた。

　その町には実家があり私の父が住んでいたが、あまりにも長い間楽しそうにやもめ暮らしをしているようすなので何となくそこにころがりこむ気にはなれず、祖母はその近くのとても小さな部屋にひとりで住んでいたので、そこに行くのも気が引けた。そこで店の裏の倉庫みたいなところで寝泊まりしていた。ひとりになれるからそのほうが気楽だったのだ。人といると気はまぎれるが、気をつかってへとへとになってしまう。ひとりだったら急に泣きだしても全然大丈夫だから、トイレにかけこんで、まるでもどすかのように勢いよく泣き出さなくてもいい。

　十八の時から八年間も長く長く続いた愛人生活が終わったことに、私はまだ驚いていた。いつまでたっても、別れたことに慣れなかった。長さというものは、それ自体がひとつの生命を持つような感じで、いつのまにか思わぬ大きさにふくれあがっている。

　そのせいかいつでもなんだか不思議な疲れかた……まるで深い肩こりがなかなかと

れないような感じで疲れていて、いつでも同じことをぐるぐる考えていたのですっかり頭も悪くなってしまったようだった。

仲のいい両親の子供は世界を疑うことを知らないで育つことが多い。私のように。

私は、夫婦というものは仲がよくて、いっしょにいていちばん楽で楽しいものなのだろうとずっと思って育ってきていた。そうでなければ、夫婦は夫婦じゃないから、そういう人たちは、もういつか離婚するに決まっているものだとどこかで信じ込んでいた。

でもそれはうちの例だけで、実際は世の中にはいろいろな形があって、いろいろなつごうがあるということを、今回遅まきながら、はじめて知ったのだった。ちょっと時間がかかりすぎていて、その点でも自分をばかだなあと思う。

私が十歳の時に母は交通事故で死んだ。隣の県までひとりで買い物に行って、居眠り運転をして、電柱にぶつかって、あっけなく死んでしまった。

その事故があるまでずっと、父と母はとても仲がよかったのだ。大学が同じでカウンセラーになるための勉強をいっしょにしていたせいか、学生みたいな感じのままだった。

でも後になって私は思うようになった、両親は仲がいいというよりも相性がよく、自分の幸せのことばかり考えているクールな人同士だったのでものごとを深く掘り下げて考えずにすんだから、いつも楽しそうに出かけていったのだと。

それとは逆に、私は青春のいちばん恋愛に燃えている時期にわざわざ奥さんのいる人とつきあっていていつでもどこかしら待ちの姿勢だったので、実のところはずっとひまでひまで仕方なく、考えるしかなくて、いつも考えてばかりいたので疑り深くなってしまったのだろう。

私はもうすっかり、そういうジャンルのあてにならなさに疲れてしまった。

東京の部屋はまだ残してあったが、帰るかどうかはまだ決めていなかった。

そこは、ちょっと名の知れた写真家である彼が私と会うためだけに仕事場と偽って買ったマンションで、私はずっとそこに暮らしていて、別れるときに私のものになった。そのことは、奥さんと話し合って決めたそうだ。それがまた私にはすごく面白くなかった。思慮深い大人の人たちに精一杯親切にしてもらったような、いやな感触が残った。

もともと体の弱い奥さんが、彼の長い不倫を気に病んでノイローゼになって心臓までおかしくなってきたので、もう別れるしかないのだと彼は電話で言っていた。

「そっちと別れるっていう選択肢はどうしてないの？」

「そんなことできない。」

「でも、おかしいと思わない？　私にも何かしら権利があるはず。」

「こうなってしまうと、もう、ないんだよ。もう、君と続けていくことはすっかりあきらめたんだ。」

「なんでひとりであきらめるのよ。」

「いや、家族を、放っておけないし。もう、充分苦しめてきたから、そういうことはやめることにしたんだ。子供もいるし、それぞれの親も、またその親もずっと続いていて、みんないいつながりでつながってしまっているんだ。その大きな共同体に参加することには、もうずいぶんと昔に、その人たちと知り合う過程で、好きこのんで決めたんだ。俺が死ぬまで、それを続けたいんだ。だから、俺一人の個人的な気持ちだけで君とつきあっていくには、もうバランスが悪すぎる。俺は、もう、こっちをとるって決めたんだ。これ以上、言わせないでくれ。」

「結局、私のほうは遊びだったということね？」

「大きな意味ではそうだね。」

「大きな意味ってなによ。」

「こういうやりとりはもうやめようよ。楽しかったことまで、だめになってしまうよ。」

「もうだめになってしまったから、同じよ。」

そういう無駄なやりとりがえんえん続いた。でも結局だだをこねているのは自分だけという状況に追いつめられた。ひとりで質問し、ひとりで答え、ひとりで文句を言っているようなものだった。

つらいなあ、と私は妙に心静かに思った。それはもう相談ですらないじゃないか、決定じゃないかと足もとのたたみを見ながらじっと思っていた。もう少しどろどろもめたり、迷ったり、時間をかけようよ、と思っていた。でも、彼がそう決めてしまったんなら、何も言うことがなかった。

病気になった人のほうがつらいと、誰が決めたのだろう、と私は思った。病気にならず、泣かず、ちゃんとごはんを食べて、散歩もして、友達に会ったりしている人のほうがつらいということもあるかもしれないと、なぜ彼は思わなかったのだろう。

他に恋人も作らず、アルバイトだけして就職もせずただ彼との時間を作るように工夫をして、連絡を取る手段を得るために携帯電話やパソコンを駆使して、いつも待機していた私の青春全体がもはやノイローゼ的でなかったと誰に言えるだろうか。比べるということや勝ち負けの空《むな》しさを、そんなふうにぽっかりとした時間に思うのはおかしな感じだった。

私はただ夢中で、状況にも気持ちにもただただ一生懸命で何がなんだかわからないうちにそんなところにいた。

まるで春にきれいな風が吹いてきて鼻先がちょっとあたたかく、甘い匂《にお》いがするのが好きなのと同じように、冬にストーブの前にいて膝《ひざ》が熱くなって幸せになるように、ただただ楽しかった。その、恋人を待つ生活……明日もなくて現実の重さもなくて、今だけの、思い出だけが柔らかく降り積もる大恋愛に、お湯につかるみたいに思い切りつかっていたのだ。

私はいつしか、その生活に依存しきっていたのだろう。

それは今思うと、入院していてずっとTVを観続《みつづ》ける生活というのに似ているような気がした。ずっとずっと同じようなことが穏やかにくりかえされているから何を観るかくらいしか考えることがないように思えるが、実際外側ではいろいろなものごとがダイナミックに動いている。

本当は自分が何か大切なものを刻一刻とすり減らしているのはわかっていた。自分の時間、自分の考え方、そういうようなもの。

確かに彼の話はいつでも面白く奥が深くて、私はとてもいい影響を受けたし、退屈することはなかった。

人があまり行かないような自然の中でのひとりきりの撮影の話、そこで起こったいろいろなこと、そういうことを聞いているだけで、自分が体験したかのような深みのある感想を抱くことができた。

でも、自分が参加していなければ、その話はTVで観るのとそう変わらない。たまに手伝いで同行しても、私は彼の恋人かアシスタントであり、別に自分を出さなくてもよかった。受け身、受け身、受け身の日々だった。

本当はもっとがつがつと全てを吸収してカメラマンでも目指せばよかったのかもしれない。

でも、私はそんなことには興味がなかった。ことに自然を写真に撮るというのは、ものすごくむつかしいことだという感じがしていた。一生追い続ける仕事だ。行けば行くほど奥のある仕事。そして世界中に自然はあふれている。すごいことすぎて、私にはただ目が回ってしまうことのように思えた。そして、だからといってよく知りもしない人物の写真を撮るのにも全然興味が持てなかった。だいたい、すてきなカメラはみんな重すぎる。でも他に接している職業がないので比べようがなかったし、忙しい彼とつきあい続けたければ、他の何かを本気でしている時間なんてそうそう取れなかった。なので、そんなことをその状況で考えても仕方ないからじっとしていたいと思っていた。

最後のほうになると、なんとなく年齢も重ねてしまったせいか、男というもの全体に対するあきらめの感覚が自分の中に生まれてきてしまった。彼が私を好きなのは、私が特に努力しなくてもあまりこだわりなく、ほがらかで、出かければいつも楽しそうで、写真の話もできないことはなく、頭も体もそう悪くはなく、なんのしがらみもないのにいつも彼を普通に待っていたからだったろう。寄ろうと思えばいつでも寄れるあたたかい場所があって、しかもセックスもできてしまうという、そんな理由によるものだったと思う……もし、そんな場所があれば、私も、たとえセックス抜きでもいいから今すぐに行きたいものだ。

きっと彼の頭の中の私は、今もほがらかでマイペースに暮らしているのだろう。そしてこんなに落ち込んでしまっているなんて彼には想像もできないのだろうなあ、と思った。

でも恨む気持ちはなかった。流れ流れてここまでやってきてしまったのだから、誰を恨んでもしかたがないのだろうと思った。どういうふうに理屈をつけても同じだった。結果はどの道筋をたどっても同じだった。彼は私よりも妻を取ると決めたということだ。

手切れ金代わりのその部屋はベランダが広くて商店街にも駅にも近く、とてもいい環境なのに管理費がたった二万円で申し訳ないほどだったが、思い出がありすぎてその部屋にいるだけで自分が薄くなり、過去の亡霊になってしまいそうだった。

金曜日の夜はいつもうちに泊まっていった彼がもう二度とくることはないのに、同じTV番組を観て、同じスーパーで同じような材料を買い、同じように洗濯機を回し、同じパジャマを着てひとりで眠りにつく。二人で予約した、彼に一段使わせてあげるはずだった本棚が今頃できてきて、届いてしまったりする。買いに行った日の楽しい雰囲気が、次々に亡霊のように立ちのぼってくる。

まるで毎日がさめない悪い夢の中にいるようだった。

同じ店でランチを食べ、同じ商店街の同じ喫茶店でふたりで飲んでいたコーヒーの豆を買い……八年も続いた永遠の恋愛ごっこの生活が長電話一本でぷっつりと終わった……ほんとうにおばあさんになってしまったような気がした。同じ生活を続けるのが精一杯できることで、あとのことをするにも体が動かない状態だった。

　こんなことで人はすっかり弱ってしまうのだ、と私は驚いた。

　とにかく全《すべ》てが終わってしまい、あとは代理人がマンションを譲ってくれる手続きをしにきただけだった。少しでもお金のことがこじれてもう一回会えないかと期待したりもしたけれど、異常にスムーズにことは運び、ふたりの部屋に私だけがあっという間に取り残された。過去の暮らしの中にさまよっている私自身が、いつのまにかその中から出られなくなるような気がした。それは、断ち切られた糸の残りが宙をさまよっているのをなすすべなくただじっと見ているのに似ていた。

　そもそもこの関係がはっきりとばれたのは、彼がいたずら電話よけに私の留守番電話を男の声で録音したのが理由だった。それを聞いた奥さんが、確信を持ったというわけだ。そんなことをうかつにやっていたあたり、すでにいつのまにかもうなれ合いの関係だったのだろう。

　それでも思い出はみんな切ない。録音した夜はとても楽しかった。留守番電話の録音に緊張した彼は、何回も録音をやりなおした。私は聞かないふりをして、ごはんを作っていた。カレーだった。窓ガラスが湯気で曇っていたことも思い出せる。スプーンが皿にあたる音も聞こえてくるくらいにはっきりと思い出せる。家中がスパイスの香りに包まれ、悪いことなど何も起こらないような感じがする夜だった。

「うまく録音できた！」

と彼は猫を抱き上げて持ってきながら報告に来た。

「じゃあ、それを一生使う。」

「本当に一生使えよ！」

「たとえ別れても一生使うよ。」

あの時の、私たちのイメージの中の一生は、永遠よりも長かったはずだ。温泉に旅行に行ったり、彼の仕事について外国に行ったこともある。私の中の何もかもが彼に関連づけられていた。妻よりも子供よりも、私と過ごす時間が多いと彼は言っていたし、これまでの人生でこんなに多くの時間を共に過ごした人はいなかった、とも言っていた。それは本当だったのだろう。彼もつらかったのだと思う。別れのことの唐突さは、そのまま彼のつらさの重みを表すと思ってあげている私は親切すぎるのだろうか。

毎日見る夢の中ではいつも彼が部屋にいる。そして別れているあいだいかに寂しかったか、もう一回ふたりでいられるようになれてほんとうによかった、というようなことをにこにこしながら語っている。手の形も、ほほの感触も、ほんとうにリアルだった。夢の中の私は安心しきっていて、目が覚めるなんて決して思わない。

しかし、必ず目は覚めてしまう。もうひとつの世界のあの生活の中に、私だけが置き去りになっているのだ、と毎回泣き濡《ぬ》れて私は思うのだった。

そんな生活で、新しいことなんかする気になるはずもない。時以外のものに癒《いや》されるのもいやだったから、親切にしてくれる男の人をことごとくさけていたし、話が深くなりそうな女の友達もついさけてしまった。自分の弱さの程度が全くはかれなかったからだった。

時間よ、早くたて、と私は祈るように毎日思っていた。背中に矢がささったまま生きていたカモの感じが本当によくわかる気がした。

なるべくそのことには気づかないようにして生きているのだが、いまここの空間に自分はいない。ほんとうの自分は、まだあの日々の中にいて、あの生活を同じようにくりかえしているのだ。そう感じられてならなかった。夕方まで寝てしまって目が覚めると、ああ、金曜日か、彼がもうすぐ帰ってくるから、何を食べに行こうか……とぼんやり考えている自分に気づく。

それは空想ではなく、どこか別の次元で実際に起こっていることにしか感じられなかった。彼が玄関の鍵《かぎ》をがちゃがちゃ開けて、ドアの開く音がして、寝ている私の近くにきて頭に触る……その感じはあまりにリアルすぎて、悲しい空想の中にあるとは思えなかった。もうふたりでいっしょに歩いてあの商店街の花飾りが風に大きく揺れるのを見ることもないんだ、それが事実なんだ、というところまで、自分をとりもどすのには毎回とても時間がかかった。

私はあの光景がとても好きだった。

いつもマンションの階段を手をつないで降りていくときには、まだいっしょにいる時間がたくさんある時だった。今日はゆっくりと食事をして、いっしょに眠れるのだ。商店街はいつも安っぽい音楽が流れていて、色とりどりの飾りが揺れていた。それを見るといつも祭りがいつまでも続くような感じがした。

いや、違う違う、もしも奥さんが死んだとしても、一回私よりも彼女を本気で選んだという事実はもう消えないのだ。そうやって、ばかな人に何かを言い含めるように一生懸命自分で自分に説明する。

そんな時に飼っている猫がひょいとベッドに乗って体をこすりつけてきたりすると、その熱い体の柔らかさがしみてきて、わけもなく号泣してしまったりした。そうだ、猫の毛も冬毛になってきている、今、今は今なんだ、さあ、今に戻ってこい、そう言って呼び戻さないと、私は私の体に戻ってこなくて、いつまでもさまよってしまいそうだった。

ちょっとこれは、自分が大丈夫じゃないのかもしれないな……と薄ぼんやり思えた時、私はとにかく実家に戻ることにしたのだった。さほどおりあいもよくない人々が住む変わりばえのしない町に。

　しばらく顔を出さない間に、ただでさえ昔から変なところだったというのに、祖母がやっているその喫茶店はよりいっそうひどくなっていた。

しかもかっこよくうらぶれているのではなく、決して不潔ではなかったが、古くあやしくてごちゃごちゃした感じになっていっていた。

　祖母の趣味で買ってきたらしい、細かい花柄の貧乏くさくごてごてとした妙なカップや、変な模様が入ったレースのカーテンや、出窓に置かれたエスニック調の巨大で安っぽい置物もすごく目立ったし、祖母はなんと店の半分を趣味の蘭《らん》のための温室にしてしまっていた。前から店にやたらに蘭があるな、とは思っていたけど、今では店の半分が鉢だった。それを見たときにはあまりにもシュールなので夢の中にいるような気がした。本当にこれはひどい、という感じだった。店なのか、温室なのか、人の家なのかはっきりしないほどだった。でもそれに抵抗して改装とか片づけをするほどの気力は私にはなかった。

　それにしてもよく手入れされた蘭はきれいで、案外見飽きないものだったので、いつの間にか毎日私も一生懸命世話をした。

そして、何よりもコーヒーがおいしかったので、まあいいかとすぐ受けいれた。

祖母はコーヒーを淹《い》れるのがとても上手だった。昔コーヒー好きの祖父がブレンドしたという、熱く、濃く、苦みと酸味がちょうどよく混じり合った祖母のコーヒーに砂糖をたっぷり入れて飲むと、頭がすっきりして胸があたたかくなった。そして彼女の焼くチーズケーキも、店がそんなでも食べにくる人がいるのがうなずけるほど、変わりない上品な味だった。

だが、日替わりランチに昨日の晩ご飯のおでんとかが平気で出ていて、そのおいしいコーヒーとチーズケーキをいっしょに食べている人などもいたり、土曜日は競馬新聞を持った人たちが来てカウンターの奥にあるＴＶをのぞきこんだりしていたので、うんざりした。そもそも、喫茶店にＴＶがあるのが私は嫌いなのだ。

そういう文句を言うと祖母は「あんたすっかり東京に毒されていやだね」と言って無視する。

酒が出ていないだけましだろうか……と思っていたら、夕方になると常連さんに地ビールを出しているのを見てしまった。おつまみは揚げもちだった。なんだかもうでたらめで、しかもそれがニーズに合わせて長年かけてつちかわれてきたものなだけに、私はどうとらえていいのかよくわからなくなってきた。しゃかりきに働いて気をまぎらわせようというもくろみがすっかり肩すかしに終わったのだった。

それでも彼女が暖かいな、と思うのは、勝手に東京に出ていった私にそのことでは恨み言も言わず、そんな店で当然人手なんているはずがないのに、私の精神的なリハビリのために、私がまいっていることは一目瞭然《りょうぜん》でも口には出さず、働かせてくれていることだった。ちゃんとバイト代まで出してくれたので、おこづかいを稼いでいるようで嬉《うれ》しかった。

だから蘭の鉢のしめった匂《にお》いがただよっていても、一番陽が射《さ》す天窓の下がぎっしりと鉢だらけで、そのためにテーブルがどかされたままでも、お客さんがすみっこにぎゅうぎゅうと寄せられた花台に押しやられてかたみのせまい状態にあってもワイドショーの音が店内に響いていても私は文句を言わなかった。私は私で、どうせ、身のふり方を決めてすぐに去っていかなくてはいけないのだから。

私は田舎に帰ってからはろくに化粧もせず、Gパンばかりはいて、長い髪の毛も結い上げた。その雰囲気に、幼なじみの友達たちは驚いていたが、私も鏡に映る自分を見て、よくびっくりした。

愛人の仕事はこぎれいにしていることです、と当時東京での私が思っていたとは決して思えない。だが、この違いは何から生じるんだろう、と私は熱心に考えた。時には顔を洗う手を休めて鏡の中の自分に見入ったりしながら、考えてみた。

子供の頃の私みたいな顔をしている、と私は思った。

毎日川のほとりにいて赤いほほをして、いつもお気に入りのセーターばかり着ていたころのような、顔つきだ。

多分、東京でのあの自分は、生活の中心であった彼と私がふたりで作ったものだったに違いない、そういうふうに結論づけた。私の中からだけでは、そんな自分はひきだされないのだ。

今の私はちょうど幼い頃の私と、現在の私の合いの子だった。そして恋をしていた時期だけが、ずぼっと暗く深く抜け落ちていた。

朝日が覚めると、いつも紅茶の缶やコーヒー豆の袋やクッキーの入った段ボール箱の隙間《すきま》で私は寝ていた。祖母が用意してくれた花柄の掛け布団《ぶとん》にくるまり、倉庫の奥に眠っていたせんべいみたいに薄い敷き布団に身を横たえて。

そう、気づくと私は朝のきれいな光に照らされていて、連れてきた猫だけが、東京での生活のままにごはんをねだって顔をすり寄せてくる。ここはどこだ？　と何回も思った。ふるさとなのに実家ではない場所で目覚めている。自分がどこで何をやっているのかさっぱりわからない。

その解放感に、涙がにじんだりしたこともあった。こんなふうに人生をやりなおせたらいいのに。毎日が新しい朝なんだ……今まで一度も浴びたことのない光を今、浴びているんだ。これからなんでもできるし、どこにでも行けるんだ。

ところが立ち働いているとふと、記憶の重みがおそってきて、人生は思い出という名の牢獄《ろうごく》だというところに連れもどされる。

お昼はいつも川縁《かわべり》でひとりで食べた。

川に降りていく石段を下ると、川はいつでも違う顔をしているのに、同じトーンでそこにあった。空腹を満たし、休憩し、午後に向かっていく力をもらった。子供の時と違って、無造作にエネルギーをつかみとって、また使って、またもらって、そんなふうに世界と愛し合うことはできなくなっていた。ただ、疲れ果てて何も動かなくなっている私の前を、何かきれいなもの……水の流れが動いていくのはとてもありがたかった。その感謝の小さな炎が、私を回していく活力としてかすかに宿り始めていくのがわかった。まだ残っている、と私は思った。あの頃の気持ちが、あの鮮やかな力の流れが、体の中に生きている。

陽に透ける葉の色を見たり、向こう側を行く人々の笑顔や髪の揺れるところや洋服の色を眺めたり、バーベキューをしている人に串《くし》に刺した肉をもらって食べたり、散歩してきた犬におしっこをかけられたり、目の前で小さな子供が転んでびっくりしたり、いろいろなことがあった。

そんな仮の暮らしの心地よさに、魂が抜かれたままの状態で、私はじょじょになじんでいった。冷たい水に体をひたす時みたいに、少しずつ。

そしてある日、そういう世にもさえない宙ぶらりんの日々の中で、私はその人を見かけたのだった。

その人を見たとき私はどうしてだかもわからないのに、まるで幽霊を見たかのように、ぎょっとした。

真冬の、空気が澄んでいる午後だった。そのつんとした匂いと肌にしみる冷気が、ますますその人を前に見たときのことを思い出させるような気がした。何よりもはじめに、前にその人を見たときも絶対に冬だったと感じた。

ちょうどこんなふうに空はくもっていて、世界中をミルク色に包んでいるような感じだったのではないだろうか。そして昼間なのになんとなく街の光が雲に映って柔らかく反響しているように思えたような。

ぴりっとする冷たい風の中には、かすかに、木の燃えた後のような香ばしい冬特有のいい匂いが混じっていた。

仮住まいしているところからずっと川沿いに歩いていって、駅のある大通りに出たばかりの歩道でのことだった。

その人は向かい側の通りにいて、赤いダウンジャケットを着ていた。そしてスキーの時にかぶるような帽子をかぶっていた。冬はスキーがさかんなこの界隈《かいわい》の町によくいそうな、見るからにスキーがうまそうな体つきの細い男の人だった。色が黒く、歳《とし》も同じくらいか少し上でも若々しい感じ、背がひょろりと高く、眉毛《まゆげ》が濃くて、きりっとした顔ですばやく歩いていた。

運命を感じるように好きとか、前に会ったことがあるような感じがするとか、そういうことではなかった。もっとはっきりと、その人の声を知っていたし、なぜか手の感触も知っていた。いつ、どこで会ったのか、それだけが思い出せなかった。

声をかけるなんて……、その時、私はひとりだった。せめて誰かといっしょの時ならよかったのに、と心の中で思っていた。ああ、気になる。どこだっただろう……。どこか、いいところ。風が冷たくて、水がきれいな……水？　自分でイメージしておいて、全くわからなかった。ただ、その人はその時もこんなふうな赤いダウンジャケットを着ていて、この色が私にとって涙が出るほど頼もしかったということだけわかっていた。

私は白昼夢を見ているかのようにぼんやりとした目で彼を見ていたが、その時、彼は信号で立ち止まった。そして当然の成り行きとしてこちらをむいて立っていた。そして不思議なことに、彼も全く同じように私を不思議そうに見つめていた。太い眉を少しかめて、鋭い目を光らせて、けげんと言ってもいいほどの表情を浮かべていた。

私は道を渡る予定はなかったがつられて何となく足どりが遅くなった。ふたりは通りをはさんで向かい合う形になったが、それでも何も思い出せなくて困った。ちょうど、夢の中で知らない街なのに知っていることになっている目的地に向かって必死で歩いているような、ぼんやりとした気持ちだった。

夢の中ではそういう時、自分がふたつに別れている……知っているはずの自分と、知っている自分に。そのふたりは重なり合って薄くきれいに光る影をつくり……光？そうだ、虹色《にじいろ》の白い光のイメージが、さっきから頭の片隅にきれいな丸をつくって輝いていた。

これだけじっと、まばたきもしないで誰かに見られたらどう思うのだろうな、と私は思った。通りを行くうるさいはずの車の音も、他の人々のことも全然気にならないほど、私は彼と彼にまつわるはずの思い出に集中していた。

信号が青になった。私は声をかける勇気はなく、彼が渡ってくるより前にあわててその場を去った。

何で思い出せないんだろう？　と私は首をかしげた。同級生？　先輩？　幼なじみのお兄さんとか？　でもどれも違う感じがした。

たとえば……亡命の旅をいっしょにしてきて、やっと国境を越えてもう二度と戻れないふるさとをふりかえり、そして、長かった旅を思い出してほほえみ合うときみたいな……。

そこにあったものは、私がこの世に産まれいでるために、手を貸してくれた誰かのこういう手みたいなもの……それは厳密に言うと手ではなくて、何かもっと引き上げる力のようなもの、白く輝いて、情は感じられないのになぜか泣かせる光、おばあちゃんがひいおばあちゃんや、またそのお母さんやおばあちゃんからもらったもの、赤ん坊を抱いたときに感じる生々しく心細い気持ち、などを総合したようなあたたかみだった。

私はわからないなりに気をとりなおして、父のマンションに向かった。

その午後は父の部屋を掃除しにいってあげる約束をしていた。

カリフォルニアから国際電話がかかってきて、私がいるうちには日本に帰る、できればちょっと部屋の換気をしておいてくれ、と父は言っていた。

父は大学の教授をしながらトランスパーソナル心理学の本を翻訳したり、ニューエイジの変わった本を訳したり、その界隈の不思議な人をとことん取材してその印象やインタビューをまとめて本にし、日本に紹介し続けている、本当の変わり者だった。

そして父は、母が死んでからずっと同じマンションの部屋で同じように暮らしていた。自分のつごうだけで店を温室と混ぜてしまった祖母の血をひいているだけのことはあって、家の中はむちゃくちゃだった。彼は食べたいところで食べ、寝食を忘れて仕事するのでいろいろなところで寝ているようだった。だが、なぜか洗濯だけは大好きで、いつでも清潔な服を着ていた。そのためだろう、洗濯機だけは古いものから、ドラム式で乾燥までやってくれる巨大なものに買いかえていた。

父はもともとアメリカの各地に出張することが多く、年のうち半分くらいは向こうにいた。最近ではいつでも若い彼女の家にステイしているらしい。何回か私も会ったことがある。案の定ちょっとニューエイジっぽい、優しくて野菜しか食べなくて髪の毛が妙に長い、目がくりっとしたかわいい人だった。

ポストの中の合い鍵《かぎ》で中に入り、窓を開けて換気をして、簡単に掃除をはじめた。さすが父、洗濯物は一切ためていなかった。私は乾燥機の中にあったからりと乾いた洗濯物をたたんで、各部屋をめぐった。

父の書斎にはそのガールフレンドと父が景色のいい山の上で笑っている写真があった。

見ているほうがくすっと笑ってしまうような写真だった。

父が幸せそうであることを、私は嬉《うれ》しく思った。

そしてその隣には、母と父の新婚旅行の写真や、赤ん坊の私を抱っこしている母の写真があった。もうすっかり陽に焼けて、古びた色になっていた。母は若くて、ふっくらしていた。私はどんどん母に似てきている。もう母はいないのに、どんどんそっくりになっていく。その不思議な生命の仕組みはいつでも私をがくぜんとさせる。

もう一枚写真がはってあった。父が本当に好きになっためぐみさんという女の人の写真だった。きりっとした顔で、微笑《ほほえ》んでいる写真だ。

父はその人と再婚しようとしたことがあった。私がもう大学に入って、東京に行ってからのことだった。

結局相手の女性が家庭を捨てられずにうまくいかなかったのだが、かなり本気だったようで、私は一度そのめぐみさんという人と、その娘に会わさせられたことがあった。

彼女は考えられないくらいの美人だった。私は今になってもあれほどきれいな女の人を見たことがない。

お年頃の私でさえ「そうだよなあ、仲のよかった奥さんに先立たれたら、悔しくて悔しくて、どうせなら次はこういう人とつきあいたいよなあ」と心から思うことができた。

めぐみさんは姿勢がよく、堂々とした筋肉質の体型で、ストレートの髪が背中で揺れ、ぱっちりとした目は強い意志を表し、笑顔はどこまでも明るく頼もしかった。

公園の脇《わき》のレストランでお昼を食べながら、私は心の中で二人の結婚にすっかり賛成していた。聞いてみたらなんと職業は占い師だという。私のことを占ってください！と言ったら、彼女は「普段はそういうの見えないのよ、でも、あなたはとても素直で、素直すぎるくらいだから、まわりにはあなたを本当に思う人だけを、置いてね。世の中には利用するっていう気持ちがなくてもいつのまにか人を利用してしまう人がたくさんいるからね。そして、どんなに夢中になれる人が出てきても、それだけに自分の時間全《すべ》てを使わないで。あなたはものすごくまじめだから、ついそうしてしまいそうなの。」と微笑んだ。

今になってみるとえらく当たっている。しかも、せっかく聞いたその忠告、なんと全然役立てていなかった。

ただその時は、人を包み込むようでいて押しの強いその微笑みに私はまいってしまい、この人がいいなあ、と父に目配せしたほどだ。

しかし……彼女の連れ子の娘は、すごかった。そのすごさがちょっと私をしりごみさせていた。とにかく、なんだかすごく変わった子だったのだ。

歳は私よりも四歳ほど上だったが、私はそんな変な人を今までに見たことがなかった。だいたい、その娘さんは一言も口をきかなかった。しかしなぜか「反対して黙っている」とか「内気で黙っている」のではないことは、ものすごく、びんびんと伝わってきた。いたいからここにいるのだ、放っておいても大丈夫だ、そういう安定感が彼女にはあった。

そういうわけで、私にとってるみちゃんの第一印象は「うわあ、変な人だなあ」だった。

お母さんに似て美人の要素がなくはないのだが、その個性の強烈さに全てがうち消されていた。別に特にきてれつな服を着ているわけでもなく、変わった髪型や化粧をしているわけでもなかった。

ただ、雰囲気が他の人と全然違っているのだった。

一見なんということはない外見をしているのだが、よく見ると何も見えてこない。彼女はとにかく白くて丸い固まりだった。まつげが長い大きな丸い目、小さな口、小さくて丸い鼻、少しぽっちゃりしていて、ふくらはぎがおもちみたいに揺れていた。全ての部分が奇妙にまっ白だった。そして黒くて長い髪の毛はさらさらと腰のあたりで揺れていた。

彼女の仕草はどうしてだか、ひとつひとつが決定的なものに見えた。

ナプキンで口を拭《ぬぐ》う仕草、フォークを口に運ぶ仕草、水を飲んで、ちょっと遠くを見る感じ。全てが他の人にはできないような、彼女だけの、もう他にはないひとつだけの動きであり、やり方だった。私はつい見とれてしまい、彼女はそれに気づいて私にちょっと笑いかけた。

「私たちだけでその辺を歩かない？」

とるみちゃんは言った。彼女の声は不思議に低く、甘く懐《なつ》かしい感じだった。

「作戦会議ね。」

とるみちゃんのお母さんは言った。父は苦笑いしていた。

そして私たちは公園を歩き始めた。

「名前はなんだっけ？」

「ほたる。」

「私は、るみよ。」

「あの二人、結婚するかしら。」

私は言った。春先で、公園の緑はにぶく光り、もわっとした感じにあたたまっていた。

光が並木道に射して、柔らかい影をつくっていた。

「う〜ん、どうかなあ。私のお父さん、今別居中だけど、けっこうしつこいからなあ。ほたるちゃんちのお父さんがあせって離婚をせかさなければ案外結婚までいくかも。」

るみちゃんは言った。

池にさしかかったとき、さらにるみちゃんは言った。

「この池ってカッパはいるの？」

「さ、さあ……。」

私は当惑して答えた。

「私は見たことない。」

するとるみちゃんは言った。

「私はよく見たよ、山奥の池で。でも最近は見なくなった。日本ではもう絶滅してしまったのかなあ。」

「緑色で甲羅があるの？」

「うん、それで小さいの。」

「それ、亀《かめ》じゃない？」

「違うよ、立って歩いてたもん。ひとりでいると、近くまで来たんだけれど。」

「カッパと友達か……。」

「友達まではいかなかったのよ。残念なことに。」

るみちゃんは言った。

父が変わっているので、変わった人と会話するのには慣れているつもりだった。しかし、あまりにも変わりすぎている、と私は思った。

そしてその一年の後、案の定急ぎすぎた父がるみちゃんのお母さんにプロポーズをして、断られ、涙の失恋をしたあとも、私はたまにるみちゃんに連絡をとっていた。

そうだ、隣の町に住んでいるはずのるみちゃんにも会おう。十年ぶりくらいだが、連絡をとってみよう。

私はそう思いついた。

毎日同じ場所で暮らしていると、少しずついろいろなことを思いだし、ゆとりができて、つながりができてくる。恋愛に忙しくて、そういう生活の楽しさもすっかり忘れていた。

何かに集中していて他のことができなかったという言い方もできるけれど、私は自分が取り残してきたものの大きさに呆然《ぼうぜん》としていた。リハビリが大変そうだと思い始めたのは、この頃だった。思っていたよりもずっと、私のいろいろな部分はなまってしまっていて、生きることさえもぎこちなかった。

掃除を終え、冷蔵庫からビールを出し、かぴかぴに乾いたパルミジャーノチーズからカビを落としてかじりながらぼんやりしていたら、ここに母と暮らしていた時のことも少しずつ思い出されてきた。もうすっかり部屋は様変わりしていたけれど、天井も、床もその時のままだった。

天井の模様や、壁のしみを見ていると子供の頃と同じ目線になる。それをそのまま、下に落としていくと、いつのまにか思い出が生々しくよみがえってくる。

その頃はまだ祖父も生きていて、この町はまだ本当に田舎臭く、山のふもとではみんなが畑を作っていた。スーパーもなかったし、商店街もなかった。

死んだ祖父のことも浮かんできた。

東京では祖父の面影はふいに浮かんだりは決してしないのに、窓の外に山が見えて、川が流れている音が聞こえてくるだけで、いろいろなことが勝手に思い出されてくる。

母を亡《な》くし、父は仕事で出かけがちで、しょっちゅうひとりでいる私をかわいそうに思って、祖父はよく手をつないで散歩してくれた。

もうかなり大きい私はそれがとても恥ずかしかった。祖父の陽に焼けた黒い手は骨ばっていた。その手で家の裏にあった小さな畑の真っ赤なトマトをいくつもいでは私にかぶりつくのを許してくれた懐かしい祖父は、父とは全然違うタイプだった。いつでも食にこだわり、自分でも畑を持ち、コーヒーのこともずいぶんいろいろなところに旅をして研究していた。

祖父と手をつないでいると、空と地面がぐんと近くなって、手に汗をかいた。多少恥ずかしくても、母の死におびえた子供の心は、その手をふりほどくことはなかった。祖父がいつか死んだとき、後悔したくない、と私は思っていた。手に汗をかいても、その時気恥ずかしくても、思い出がせまってきて苦しくても、後で思い出せば絶対に大切なんだ、と思っていた。そういう心配りに関しては、子供の心のほうがずっと繊細だった。

その時の私は、頼りない現実の糸のはじっこをじっとつかんで手探りで進んでいくしかなかった。

その頼りない、おなかに力が入らない感じ。そしてその不安の力は、形を得て私を押しつぶしそうな勢いになってきていた。川の音が耳を離れないのと同じように、その頃、生きているということの背後には、いつもその力があった。もしかしたらもっと恐ろしいことが次々にやってくるのではないか、という漠然とした感じだった。

あまり泣かなかったので、たぶん涙はどんどん胸にたまったのだろう。出ていかない涙で胸がいっぱいになり、なんだか声がおかしくなってきたくらいだった。だんだん風邪をひいているようなふるえる鼻声になってきた。

そうなると、私はいつも川のほとりにいって、風の音にまぎれて思い切り泣いた。泣くとしばらくは大丈夫になって、祖父や祖母や父を笑わせてあげられるくらいには陽気な娘になることができた。

そしてそんな祖父ももうこの世にはいない。

全てが悲しむ暇もなく、川みたいにどんどん流れていってしまう。

その頃の私にも、あの川辺が大きな慰めだった。誰にも言えない気持ちを全て水が吸い取って、流してくれた。自分からこんなに水が出るなんて信じられない、とスカートのプリーツに沿って落ちていく涙を見てはよく思った。

泣きすぎると、空が奇妙に近くはっきりと見えてくる。そしてのどや鼻が痛い。

また同じイメージが出てきて、私は我にかえった。

そうか、この里帰りは人が死んだときと同じ感じがするから、こんなにも切なくていつも胸が苦しくて、世界中が奇妙に美しく、所在ない感じがするのだ。

この町には思い出の重さがぎっしりとつまっている。

そして本当の別れというのは、縁がぶちっと切れるということは、死よりもよっぽど死に近いことなのだ、とさとった。なぜなら、祖父や母の面影は、別れた恋人よりはよほど近くに、触ることができるほど生々しくそこにあったからだ。しかもいつも私をいいふうに包んでくれていた。

そして窓から青い空を見上げて、私は自分がその頃と少しも変わっていないのにびっくりした。

人の、感じる心の芯《しん》のところは、決して変わることがないようだ。

本当に久しぶりに会ったのに、るみちゃんもまた全然変わっていなかった。彼女は隣町で一人暮らしをしているそうで、電話番号は変わっていなかったのですぐに連絡がつき、遊びに行った。

るみちゃんのお母さんもお父さんと相変わらず別居しているがやはり離婚はしていないようだった。人づてに聞いたところでは、今、るみちゃんのお母さんはデンマークに住んでいるらしい。職業は変わらず占い師だそうだった。あの人のことだから優秀な通訳を雇っているか、デンマーク語を勉強してすぐに習得したのだろう。

るみちゃんの部屋は古いマンションの四階にあった。まるで洞穴みたいに本だの置物だの、たくさんのものに埋もれているのになぜかうす暗い感じはなく、風通しと陽当たりはとてもよかった。そして私を迎えたるみちゃんは全然歳《とし》をとっていないように見えた。その不思議な丸さと小ささは、ふっくらとした猫を思わせた。

そしてるみちゃんはおいしい紅茶をいれてくれた。

「るみちゃんは、何をして生計を立てているの？」

私は聞いた。

一回は姉妹になるかもと思って覚悟を決めたところからはじめた関係性は、肝がすわっている。何でも聞きたいように聞ける。

「私は、保母さん。」

るみちゃんは言ったので、私はたまげた。全くイメージに合わなかったからで、占い師とか、ペットショップの店員とか、洋服を売っているとか言われた方が、ずっと納得できた。でも、本棚に入りきらないほどになって積んである本はシュタイナーとかモンテッソーリとかフリースクールだとか、教育関係の本がとても多かったので、そういうことか、と納得した。

「シュタイナー教育を取り入れた私立の保育園にいるの。いつか、この町に自分でもそういうところを作ろうと思う。今のところも悪くないけど、庭がほとんどないのね。もっと庭の広い、規模の大きいところを作ろうと思うの。」

「そんな夢があるなんて、知らなかった。」

「機会がなくて言わなかったけれど、昔から、そうしたかったから。」

るみちゃんは微笑《ほほえ》んだ。

「私は、ずっと変わった子と言われていたから、誰か変わった子がいても理解してあげられる環境を作りたかったの。忙しいけど、毎日いろいろあって面白いよ。体を使う仕事だから、気持ちいい疲れかただし。あまりにも子供と仲良くなりすぎると、お母さんたちがやたらにやきもちを焼くのも面白い。子供は、楽しくて落ち着いたものが大好きなんだよ、でもお母さんたちは、その反対の人が多いの。特に迎えに来るときは、すごくあせっているからね。好かれるこつはそれだけなんだけれどね。」

「るみちゃんは昔からしっかりしていたものね。ちゃんと着実に積み重ねてきたって感じね。」

「親がふらふらしていると、かえってそうなるものよ。とにかく早く仕事を持って一人暮らしがしたかったもの。ところで、ほたるちゃんは、なんで帰ってきたの？　失恋でもしたの？」

いきなりそう言われて、私はソファーから落ちそうになった。

「なんでわかるの？」

「顔に書いてあるから。」

るみちゃんは言った。

「さすが占い師の娘だわ。」

私は感心した。

「だって幽霊みたいな顔してるもん。ここにいないみたいだし、なんとなく半透明に透けているもの。でも、しばらくしたらちゃんと体の中に、今という時間の中に、戻ってこれるよ。」

るみちゃんは言った。

私は、自分の八年間がそんな一言で片づけられたのをちょっと不服に思い、話題をそらした。

「るみちゃんは、カッパだけではなくって、幽霊見たことある？」

「今でもわりとよく見るよ。夜、川のところとかで。」

るみちゃんはさらりと言った。

「でも一番印象に残っているのは、子供の頃のことだな。」

聞かせてほしい、というと、るみちゃんは話してくれた。不思議な話だった。

るみちゃんは、お父さんはあまり家にいなかったし、お母さんのところには深刻な悩みを抱えた人たちがひっきりなしに来ていたので、学校から帰ると家にいづらくて、いつでも墓場に行った。そして枯れた花を片づけたり、古いお墓を洗ったり、かびたおそなえを捨てたり、お水を入れ替えたりしていた。

なんでそんなことをしていたのかよくわからないそうだ。

「きっと私は誰もお参りに来てくれない墓の中に眠っている人達と、親に関心を持たれなかった自分を重ね合わせていたのだろう。」

とるみちゃんは言った。私はそのさりげない言い方にじんときた。親を少しも恨んでいない、その態度はきっぱりしていて立派だった。だからるみちゃんはいつでも大人だったのだ、と私は思った。

さて、るみちゃんには、いつもなんとなくそこで休むことにしていた大きなけやきの木があった。

太い幹にはいろいろな穴があき、苔《こけ》が生え、見上げると空が隠れてしまうほどに葉が茂っていた。葉はきれいなぎざぎざがあって、枝にこんもりとついていた。なんてきれいな形だろうと彼女はその木が大好きになっていた。

そしてその木の陰で、いつもるみちゃんは、体の溶けているおにいさんと出会った。おにいさんは半分はけやきで、半分は人間の姿をしていた。しかもきっちりと半分なのではなくて、ぐちゃぐちゃに溶け合って混じっているという感じだった。はじめはびっくりしたが、すぐに慣れた。

「私は、お母さんの取り巻きをよく見てきたの。その頃、お母さんの仕事環境は、決していいとは言えなかった。いろいろな人の思惑にさらされて、息苦しかった。お金や、あの美《び》貌《ぼう》や、才能や、いろいろなものを求めて、少しでも何かをもらおうという人が、お母さんに群がっている時期だったの。いつだって見た目は美しいが中身はどろどろという人達に囲まれて育っていた時期だった。だから、見た目がぐちゃぐちゃでも中身が清らかなら、すぐに慣れたということだと思う。」

とるみちゃんは言った。

彼はいつも何も言わず、るみちゃんの近くにじっと立っているのだった。彼からはいやらしい感じも暗い感じも感じられなかった。なんとなく静かで悲しい感じがするほかは、何もうったえてくることはなかった。

ただ、るみちゃんが墓の片づけをするのをとても喜んでいたのだと思う。それだけははっきりとわかったそうだ。じっといっしょに座っていると、彼女は孤独を忘れたそうだ。

「同じような気持ちでそばにいるだけで、語り合う言葉がないほうがかえって通じ合えるということのすばらしさを私はその歳にしてもう知っていたみたい。」

とるみちゃんは笑った。

人と人の間には本当には言葉はない、ただ、全体の感じがあるだけだ。その全体の感じをやりとりしているだけなんだとるみちゃんはさとったそうだ。

でもたまに彼を夢に見ることはあった。それでるみちゃんがなんとなく知ったことは、彼は痴情のもつれで自殺してものすごい恨みを持って死んでいったのだが、けやきの近くにお墓があったことでけやきに抱かれているうちにすっかり気持ちが癒《いや》され、今ではけやきと一つになってその墓地で迷っている人達を見守っているということだった。

「そんなにいい人だから、失恋なんかで死んでしまうんだよ。せっかく恨みを持って墓にいるんだから化けて出るとかすればいいのに！」

と苦労人のるみちゃんは彼に言いたかったけれど、けやきと溶け合って安らいでいる彼を見ると、これはこれでよかったのだろうと思ったそうだ。いつか永い時の向こうに彼がまたこの世に産まれてくる日が来るのだろうと。

「私の子供に産まれてこないでね、私は大金持ちと結婚して、子供にも稼いでもらって養ってもらうんだから！　あなたみたいなお人好《ひとよ》しはごめんよ。」

と夢の中で言ったら、彼はにこにこと笑ったような気がした。口のない口と、目のない目で。でもるみちゃんには彼がまるで親のようにあたたかい表情で、にこにこ笑っているのが確かに感じられたのだ。

「もうその人に会うことはないの？」

私はたずねた。

「うん、たまに夢の中で会って、いろいろ教えてくれるけど。今ではあの墓地を散歩しても、会うことはないの。けやきはある時、切られてしまったの。どこの誰とも言えない人たちのお墓を増やすために、私の友達はこの世から消えてしまったみたい。そこはすっかり掘り返されて、根っこも残っていないのよ。」

るみちゃんは言った。

「なんて淋《さび》しい話でしょう。」

私は言った。

「そう、ある意味では初恋の人だったもの。」

るみちゃんは真顔で言った。カッパの次は、溶けた姿の幽霊……るみちゃん、もしかして男の趣味が悪いのではないか？　と思ったけれど、言わなかった。るみちゃんは続けた。

「人も幽霊も同じだよ。こちらの思い入れで接すると、必ず痛い目に合う。あの、けやきくんも、いつ、どこであの心の中の恨みや、どろどろしたものが爆発して、私を傷つけるかもしれなかった。でも、それをしっかりとふまえた上で背筋を正して接していれば、何か、わかりあえるものがある。ただただきれいな話には、必ず落ち度があるものだと思う。私と彼の交流は、そういうものではなくて、何か本当に同じ悲しみを心に抱えていたから、その一点だけで、ただただ誠実だったのよ。」

「時間がかかるということもあるよね。」

「そう、いろいろな角度から、その人の深いところまでを把握しないと、珍しいものと友達になったっていう美談の罠《わな》に落ちてしまうのよ。」

「でも、その人はどうして成仏《じょうぶつ》しなかったんだろう？　そんな優しい心ももう身につけていたのに？」

「多分、まだこの世を見ていたかったんじゃないだろうか。けやきと共に。今はきっと、もう天にあがっているでしょう。私もたくさんお祈りをしたから。でもね、今でも、私の人生の中の一部分は、永遠に淋しくて、お墓で亡《な》くなった人の世話をしているひとりぼっちの子供のままなの。人間のいない世界のほうが、沈黙の中にいたほうが幸せだった、私のままなの。そして、その世界では私はまだ、彼と触れあっているの。誰よりも近しく、お互いにはお互いしかいないところで。」

　るみちゃんは言った。

　私の心の中に、小さくてひとりぼっちで淋しいるみちゃんと、いつまでもけやきに溶けこんでこの世を見ていたかった弱気なその男の人の切なくて悲しい画像が、静かに刻み込まれた。

私の心の中の静かで淋しい澄んだ水のようなところに、その映像はそっと舞い降りた。

「そう言えば、思い出の中にはないのに、懐《なつ》かしい感じがする人に道で会ったんだ。」

子供の頃のことをあれこれ考えていてふと思いだし、私はこの間のことを話してみた。

るみちゃんは言った。

「聞いてるとどうも、恋愛ざたって感じの話じゃないわね。」

「そりゃそうだよ、だって、全然私の好きな感じの男の人ではなかったもの。でも、思い出す感じがちょうどそういう、遠い思い出の中で、確かに友達だったけど、霧に包まれていて思い出せない、っていう感じなのよ。」

今のるみちゃんの話を聞いて、私はますます何かを思い出せそうな感じがした。セピア色のかなた、遠い記憶のかすかな輝き、印象だけの光。

「もしかして、夢の中で会った人なのかもしれないねえ。」

るみちゃんは笑った。

外は冷たそうな風がごうごう吹いていたが、部屋の中は暖かかった。ヒーターがちょうどよい熱を放っていた。窓はかすかに曇り、その向こうには枯れた木の枝が模様のようにきれいに見えた。紅茶の甘みと苦みが、その雰囲気にちょうどよく合っていた。

私はソファーに座り、るみちゃんは床の大きなクッションにもたれていた。膝《ひざ》にはきれいなニットの膝掛けをかけていた。誰かと、こんなふうに心おきなく、なんということもなく時間を過ごすのは本当に久しぶりだった。一度も本当にきょうだいになったことも、暮らしたこともないのに、昔そうなりそうだったというだけで、ふたりの間には懐かしいような、気のおけないような親しみがしっかりと残っていた。

また来るね、と言ってコートを着込んで外に出ると、すっかり夕方だった。西のほうできれいな雲が光っていた。そして熱くなったほほを、冷たい風がどんどん冷やしていって心地よかった。見あげると、るみちゃんの部屋に明かりがついていた。私はなんだか、今の時間全体に、その味わいに、ふわっと包まれたような感じがした。

人の、意図しない優しさは、さりげない言葉の数々は、羽衣なのだと私は思った。いつのまにかふわっと包まれ、今まで自分をしばっていた重く苦しい重力からふいに解き放たれ、魂が宙に気持ちよく浮いている。


その人に再会したのは、夜中に目が覚めてしまって、ふらふらと夜道を歩いている時のことだった。

悲しい夢を見ると、体が固くなってぐっと歯に力を入れた状態で目が覚める。月明かりに照らされた段ボールの山が、まるで墓石のような影を作っていた。私は体から息を抜いていくような気持ちで、起きあがった。猫が足もとで丸まっていた。ふとんが重く体は熱く感じられたが、部屋はしんしんと冷え込んでいた。私はストーブをつけ、お湯を沸かしてお茶を入れた。

何も悪いことをしてないのに、罪人のような気持ち。

誰も死んでいないのに、誰かを亡くしたような気持ち。

私は空に光る月を、小さい窓から見あげた。

月は、いつでもそこにあった。だから、私の知っている月はいつでも恋人と見あげる月だった。でも今は、ひとりで、わけのわからない倉庫みたいなところで、職もなく、何もなく、過去の町にいる……そのことが解放的に思える時もあったけれど、その瞬間は淋しかった。

私の生活はどこにあるの？　と思うたびに、あの日々が基盤だったからあの日々にできれば帰りたい、と心が答えるのだ。

またしても始まってしまう堂々めぐりがいやで、私は窓を開けた。

ものすごく冷たい、そして澄んだ空気がすうっと肺に入ってきた。

東京では考えられないくらいの、きれいな空気だった。それが私を今という時間にひゅっと引き戻した。

悪い夢の中から、今の生活に戻ってきたような気がした。

そして私は、パジャマの上にコートを着て、ちょっと外に出てみることにした。寝ながら泣きはらした目を冷やしたかったし、もっともっと外の空気に触れたかったのだ。

時刻は夜中の一時だった。

外に出ると川はおそろしいくらいに暗く、家々の窓にはところどころ明かりが灯《とも》っているだけでほとんど真っ暗だった。川音がちょろちょろと聞こえてきた。その音は、闇《やみ》に流れる透明な感じとして、耳の底にまで響いてきた。

支流を伝って橋を渡り、大きな川のほとりに出て、私は静かな静かな世界でひとり、白い息を吐いていた。

ほんの少し歩くつもりが、川にそってぽつぽつと歩いていると、いつのまにかずいぶん遠くに来ていた。人っ子一人いなかった。浪人生ふうの若い男の子たちと、一回すれちがっただけだった。

東京と違うなあ、と私は思った。だいたい空がちゃんと黒い。東京ではたいてい、夜の空はぼんやりとグレーに明るかったのだ。

ふと見ると、先の一軒家の外階段のところに、赤提灯《ちょうちん》がぶらさがっていて「ラーメン」と書いてあった。

ポケットにはさいふがあった。私は「パジャマだけどコートを脱がなければいいし、ラーメン食べようかな」と思った。このところあまり食欲がなかったが、その時は猛烈におなかが空《す》いた気がしたのだ。

階段を上がっていくと、普通のマンションのような新しい感じのドアがあって、呼び鈴があった。私はちょっと当惑したが、とりあえず押してみた。

中でしばらくばたばたした動きが感じられ、いかにも寝起きという感じの人がドアを開けて顔を出した。

そして私は驚くにはあまりにもぼうっとした心持ちだったので、ただ「人の縁ってあるんだな」と素直に思った。その人は、このあいだ私が道で会って、懐かしいと思った人だったのだ。

「あの、ラーメンを……。」

私は言った。

「はい、どうぞどうぞ。」

その人は寝起きらしく髪の毛に寝癖がついていたが、感じよく迎え入れてくれた。

そして私は上がろうとしてびっくりした。そこは店というようなものではなく、普通の家の二階の部屋の、ほんの一部分がカウンターになっているだけだったのだ。席は五席しかなかった。そしてたぶん、ついたての向こうには彼の部屋があるのだろう。

もちろん他に客はいなかった。

「塩ラーメンと、みそラーメンと、ミックスがありますけど。」

彼はカウンターの中に入っていった。

そして何か袋をがさごそいわせている。

「も、もしかして、それは、インスタントラーメンなんじゃない？　どう見てもサッポロ一番なんじゃない？」

私は言った。

「そうですよ、でももやしも卵も乗せますし、バターも乗せますよ。こしょうもごまも山盛り。」

彼はにこにこして言った。

「いくらなんですか？」

「三百円です。」

「じゃあミックスをください。あとビール。」

と言いながらも、私は内心「失敗した、どうせインスタントなら、家で作ればよかった、この人少し頭がおかしいのかも」と思っていた。

彼はてきぱきと動き、小さな冷蔵庫から新鮮そうなもやしを出してゆではじめた。

そして同じ冷蔵庫からよく冷えた缶ビールが出てきた。

おつまみはピーナッツだった。

「俺、いちばんおいしいラーメンって、この、サッポロ一番だと思うんですよ、それを証明したくて、趣味でラーメン屋やってんの。気が向いたときだけ。」

「へえ……。」

私は言った。

「無許可なんですか？」

「もちろん！　だって趣味だもん。」

彼は笑った。

そういうものなのか、地まわりのやくざとかいないんだろうか、警察はこないんだろうか、などと思いながらも、私はなんとなくビールを飲んで、ピーナッツを食べた。

「いざとなったら、ちょうちんしまえばすむことだから、文句言われるまでやろうかなと思って。」

彼は言った。

その言い方、肩の形、体の動かし方……この人を、私はやはり知っている、と私は思った。でも、どこで会ったのかはわからなかった。

すぐにラーメンが出てきて、心の中ではばかにしていたのに、案外おいしくて私は嬉《うれ》しくなった。あらびきのこしょうや新鮮な野菜や卵のせいだけではなくて、同じものでも人が作ってくれるとおいしいものだ。

「このへんにお住まいですか？　見かけないけど。」

彼は言った。

「ちょっと今、里帰りしているんです。喫茶ハイジのおばあちゃんの孫です。」

私は言った。

「ああ！　あのチーズケーキの店！　じゃああなたはあの変人のおじさんの娘！」

彼はげらげら笑った。

「あの、父が何か？」

私は顔を赤らめて言った。

「最近までなんか、白いローブを着て、妖精《ようせい》のように町をさまよってましたよ。すっかり悟りを開いたような微笑《ほほえ》みで。」

ああ、恥ずかしいと私は思った。

「でも外国が長いんですよね、あのお父さんね。だから変わってらっしゃるんですよね。」

彼は言った。

「そうなんですけどねえ。」

私は言った。そんなこと、お父さんが二十四時間のふんどし瞑想《めいそう》にはまった時よりはましだ、体を浄化すると言って小松菜しか食べなくなって、毎日山盛りの小松菜を買いに行って八百屋さんに不思議がられた時よりもましだ、と自分に言い聞かせながら。

ほとんど食べ終わった時、部屋にあやしいチャイムの音が響き渡った。お客さんかと思ったが、彼はカウンターを出て、階段をおりていってしまった。

私は、しばらく待ってみたが帰ろうかと思い、千円を出して置いていこうとしたら、彼はまた戻ってきた。

「すいません。お会計は六百円です、はあはあ。」

と息をついている。

「大丈夫ですか？」

と私が言うと、

「実はおふくろの調子が悪くて。寝込んでいるんです。」

と彼は言った。

「去年の、バスの事故をおぼえてますか？」

「ああ、ものすごい事故だったって聞いた。」

私は答えた。

去年、町内会の旅行があった。二つくらいの町内会が合同で温泉に行くというものだった。その時のバスの運転手が精神を病んでいて、全員を道連れにして崖《がけ》から落ちたのだ。その事実は複数の客が携帯で家族に連絡をとっていたことから明るみになり、大変な騒ぎになった。私もニュースで見て、家族や知り合いが参加していないか気をもんだものだった。人が死んでいくところをリアルタイムで見聞きしてしまったことに日本中が衝撃を受け、そして、いろいろな形で後悔をした。

「あの時、おふくろは参加するはずだったんだけれど、どうしても気が乗らなくておやじだけ行くことになったんです。おふくろには勘みたいなのがあって、おやじに行くなって止めたんだけれど、おやじはそういうの信じないから、行って、死んでしまったんです。」

「まあ……。」

「そのショックでずっと寝込んでいて。」

「そうなんですか、お悔やみもうしあげます。……でも、それだったらいんちきラーメン屋をやっている場合ではないんじゃ。」

私は普通、知っている気がするとはいえほぼ初対面の人にそんなもの言いを決してしないのだが、彼の気安さは何を言っても大丈夫な感じがしてつい親しげになってしまった。彼は答えた。

「じつは僕はスキーのインストラクターなんですけど、そんな様子のおふくろから離れるとかわいそうだと思って、いっしょに心のリハビリをしているんです。だから、今は、家をあまり出られないんです。幸いおやじの遺《のこ》したものが多少なりともあるので、今年は休ませてもらってるんです。」

「そうなの……。」

「だからこれは気晴らしです。バス会社からもかなり金が出たし、今年はこれでいいかなと思って。おふくろの方が大事ですからね。」

彼は言った。

おふくろの方が大事、そんな言葉を素直に口に出せるなんて、なんと大らかなことだろう、と私は思った。そして、この家族を襲ったできごとの不条理さに比べて自分の嘆きがちっぽけなものに思え、少し大丈夫になってきた。

「また食べに来ます。」

と私が去ろうとすると彼は呼び止め、

「おねえさんのお父さんって、そういう、人の心の問題を扱ってるんですよね。」

と言った。

「そうです。専門分野のことはよくわからないけれど、そういったことに長く関わってきたのは、確かです。」

「いつか、話をさせてもらえませんか。おふくろの考えを、どういうふうに扱ったらいいか、相談したいんです。」

「もちろんいいですよ。父は今、渡米していますが、帰ってきたらご連絡します。」

私は言った。

「ありがとう！」

と彼は笑った。

私は連絡先を書いてもらった。名前は大嵩《おおたけ》みつるさん。やっぱり知らない名前だった。

胃は暖まり、さりげないひとときを過ごしたことで、心もすっかりあたたまっていた。この世にはいろいろな苦しみがあり、時間が過ぎていく。自分だけの狭い世界から、少しだけ頭を出して、人の苦しみを思った。それだけで、私にはすばらしいことだった。

それから、大嵩さんはたまに店に来るようになった。私が店に行くと、蘭《らん》の陰で、祖母の作ったいわし丼《どん》を食べていたりする。

黙っていると彼は、とても疲労した人のように見える。目の下に隈《くま》ができて、むっつりとこわく黙り込んでいる。

でも、私が入っていって挨拶《あいさつ》をすると、にこっと笑う。子供みたいに明るく笑うので、ほっとする。

ある日、祖母が言った。

「あの人、なんだか見たことがあるのよ。」

私はぎょっとして、どこで？と聞いた。

「わからないけど、今の感じとちょっと違っていて、で、なんていうのかなあ、町で見かけたとかではなくって、もっと大事な時に会ったっていう感じがするのよ。」

と私と全く同じ感想を述べた。

そしてふたりで一生懸命に思い出そうとしたが、どうしても思い出せない。まるで、神様に目隠しをされているみたいに、あるところ以上は浮かんでこないのだ。

そして、夜中につらい感じで目が覚めると、たまに私はラーメンを食べに行った。たとえ実際食べに行かなくても、「行こうかな、あの店に、あの道を歩いて」と思うだけで心安らかになり眠りに入ることができた。

川を歩き、暗さにどきどきしながら、星を見あげ、歩く。足は冷えて固くなってくるけれど、体はだんだんほかほかと暖まってくる。そしてあの赤いちょうちんが見える。

私と彼は、特に進展するようすを全く見せなかった。

お互いが、疲れ切っていてそんなファイトがわいてこないのだ。でも、呼び方も大嵩さんから、みつるくん、に変わり、彼も私をほたるさんと呼ぶようになった。

そうか、新しく友達が、できたんだ……と私は嬉《うれ》しかった。

東京で私はいつでも恋を優先させていたので、人とゆったりと知り合っていき友達を作るひまなんて全くなかった。ぶつ切りの時間の中で、ちょっと会っておしゃべりする程度だった。

そのいいかげんな店で丁寧に作られたインスタントラーメンを食べる時間は、私にとって一種の癒《いや》しだった。暗い道を抜けてちょうちんを見あげるとき、そこにはなにか、生まれ変わるような新鮮な風が吹いてきた。

そうでないときでも夜中にそのちょうちんを見かけると、ちょっとほっとした。たまに学生とかお金のなさそうな人とか淋《さび》しそうな人がいるときがあって、みんなそういう小さくてあったかいほら穴みたいなものを求めているんだろうな、と私は思った。

別れた彼は、あまり人付き合いが好きでなくて、お金儲《もう》けにもほとんど興味がなかった。日本の自然が好きで好きでしかたなくて、いろいろな小さな町に行っては、そこで見たきれいなものや汚いものを撮り続けていた。

それだけでは食べていけないので、雑誌のための仕事もたくさんしていた。そういう時は、私がアシスタントをしていたので、私もまるで働いているかのような気分になることができたわけだ。

彼の、人物が少なくて風景ばかりの写真集の中に、一枚だけ私の写真がある。

スイカを食べながら笑っている写真で、千葉の海岸で撮ったものだった。まぶしい光に顔をしかめながら、猫背でスイカにかじりついている最高にブスな写真だった。

それでも私は、その写真を思い出すたび、その時に戻りたかった。鏡を見るたび、どうしてもその顔と今の活気のない顔を比べてしまう。

時間が流れていくことにぞんざいになっていた贅沢《ぜいたく》な自分の、くったくのない表情が、うらやましかった。

奥さんとは学生結婚だったらしく、お互いにほとんどひとめで結婚を決め、今でも仲が悪いわけではないと彼は言っていた。でも、彼女は体が弱いので全く自然にも旅行にも興味がなくて、淋しかったと言っていた。本当にすごい場所にはひとりで行くのが必要だけれど、たまには誰かとその景色をわかちあいたいとずっと思っていたそうだ。ただ、奥さんが彼を思う気持ちが本物だということは、話のはしばしから伝わってきた。どんなに家をあけても、奥さんの持つ静かで安定した感じが変わらないことも伝わってきたし、出産で死ぬかと思われたのに男の子をがんばってひとり産んで、いっしょうけんめい育てているというのも聞いた。彼女が子育てにあまりにもいっしょうけんめいすぎて、多分、彼は淋しくなったのだろう、そして私を見つけたのだろう。

彼と知り合ったのは、友達にさそわれて行った個展の時だった。

私は東京に住んでいることに少し疲れていて、日本の田舎にしかない特別な深さを持つ景色やその感触に飢えていたので、彼の写真がすごく気に入った。そして、受付のあたりで所在なくしていた彼に、むりやりにとてもいい写真でした、と感想を述べた。

彼からはがきが来たのは、そのすぐ後だった。

お互いに直感で、この人と人生の時間を共にする、と決めたのだ。

「今のがしたら、もうどこかに行ってしまう、そう思ったらなりふりかまわずにつなぎとめなくては、と思った。」

と彼は言っていた。

はじめてふたりきりで会った喫茶店で、私たちは手をとりあって、泣いた。会えて嬉しかったことと、そのまま進むに進めない悲しさで、ただ泣くしかできないくらいに強い気持ちだったのだ。

私たちは、本当に結婚したかもしれないと思う。しなかったのは、ほんの少しのずれのせいだった。でもそのずれこそが、全《すべ》てを物語っていた。私たちはつきあい始めるとすぐに物件を見に行き、彼の持っているお金で買える部屋を探し、少しでもいっしょにいられるように合理的に時間を組み、私もメールは出したけれど、決して彼の携帯には、どんなにしたい時でも電話をしなかった。長くつきあうためのシステムをきちんとふたりで考えたのだ。ほんの少しのこと……たまたま彼の息子さんがおたふくかぜになったり、奥さんのお父さんが亡《な》くなったり、そういうタイミングのずれで、大きな衝動がだんだん日常に溶けていき、そして負けていった。

ある時、私が熱を出してほとんど意識不明になったことがあった。彼が来たのも、薬を飲ませてくれたのも、何か家の中のことをいろいろしていたのも、おぼろげにしかわからないほどの熱だった。

朝、目を覚ますと、熱はかなり下がっていた。

私は、あれ？　昨日彼って来ていたっけ？　夢かな？　と思って枕元《まくらもと》を見ると、冷たい氷水がポットに入って置いてあった。そして「熱が下がらなかったら病院に行くように」と手紙が書いてあった。

私は水をごくごく飲んだ。汗をかいて脱水ぎみだったので、ものすごくおいしかった。そして、ふらふらと立ち上がった。

冷蔵庫にはむいた果物があり、鍋《なべ》の中にはスープができていた。そして、洗い物もしてあり、洗濯までしてあった。私は自分の下着がひらひらと風に揺れているのをみて、ありがたいなあと思いながらも、少し淋しくなった。

本当にこの人の奥さんは体が弱いんだなあ、具合が悪い人がどうしてほしいかを彼は知りつくしているんだなあ、と思ったのだ。

でもこの、今の優しさは、私に向けられたものだった。私だけに。

私は、スープを飲みながら、ちょっと泣いた。

これはきっと彼のお母さんの味、彼が病気の時に、いつも作ってもらった味。でも私は、彼のお母さんに一生会うことはない。彼の人生の大きな流れの中に、いれてもらえることは、ないのだと思った。

結婚なんかに興味を持ったことはなかった。私はとても現実的なので、ありもしないことを夢見たりするくせはなかったのだ。でも、その時初めて、結婚ということがどういうことかわかった気がした。その大きな渦の中に、私はいないのだということが。どんなにうまくいっていても、私は彼の生活にふと現れる幽霊のようなものにすぎないのだと思った。

るみちゃんの言うとおり、私はずっと前から、半分透けている幽霊みたいなものになっていたのかもしれない。


父から電話がかかってきて、来月には戻ってくると言った。

「じゃあ、私それまでいるね。ここに。」

と言いながら、私はほっとしていた。来月までは身のふり方を決めなくていいという口実ができた。

「ここって、君、そこは倉庫だろ？」

父は言った。

「快適よ。」

「家に来ればいいのに、君の実家なんだから。」

「たまに寄って掃除して、何か食べて帰ったりしているから。今はここが居心地いいの。」

私は言った。もともと風来坊でどこでも寝泊まりできる父はすぐに納得した。つい最近もアラスカのどこかとんでもない田舎で寝泊まりして、凍った魚やアザラシか何かの肉を食べていたらしい。父はひとしきりその思い出を話して、すっかり体が冷えたから、しばらく暖かいところに寄ってから日本に帰ろうかなと言った。さすがはお父さん、すっかり冷えたのスケールが違うな、と私は感心した。

「そう言えば、お父さんに会って話を聞きたいという友達がいるんだけれど。」

私は言った。

「帰国したら、会ってあげてくれる？」

父は言った。

「男か？」

「そうだけど、ほんとうにただの友達。このあいだのバス事故でお父さんが亡くなって、お母さんが寝込んでしまったんだって。きっと話を聞いてもらって、どういう病院に行けばいいのか意見を聞きたいんだと思う。」

私は言った。

「病院のことなら、多分相談に乗れるから、いいよ。帰ったらぜひ会おう。あと、こういうのもなんだけれど、あの、るみちゃんっているだろう？　めぐみの娘の。」

めぐみ、と昔の恋人を呼んだとき、父の未練が切なく伝わってきた。父の人生で最大の恋、はかなく消えた幻の女性、父にいろいろなことを教えて去っていった人生の先生。

「あの子も、不思議な勘があるから、相談してみるといいよ。思わぬ意見が出るかもしれない。」

「わかった、そうしてみる。るみちゃんにはこの間会ったよ、お母さんは今、デンマークですって、離婚してないよ、まだ。」

と私は言った。

「もういいんだよ、あれは美しい思い出。」

と父は言った。

「今の彼女とうまくいってるの？」

私は言った。

「うん、こっちではたいてい一緒にいる、ほとんど一緒に住んでいるような感じだね。」

と父は言った。

母が死んでから、みんなが気ままでばらばらになってしまった家族だが、父と話すとなんとなく子供に戻ってしまう。たいそうつまらなくてせっぱ詰まっていた東京の生活をすっかり忘れて、何事もなかったかのような気さえしてくる。それこそが、時間をかけてじっくりと練り上げられて押しも押されぬようになった、親の力というものかもしれない。

「あれ？　ずいぶん元気になったね。」

とるみちゃんは私の顔を見て言った。

電話してみたらまだお昼を食べていないということだったので、祖母の店に来てもらったのだ。私のおごりで、ランチのカレーにチーズケーキとコーヒーのセットがついたものを出して、私も客として窓辺の席にすわった。

「この店、蘭《らん》くさいねえ。外にいるみたい。でもきれい。」

るみちゃんは言いながら、カレーを、とても丁寧に食べていた。彼女の食べ方は、一見に値する。すばやく食べているのだが、ひとつひとつの動作が妙にくっきりしている。

本当に面白い人だな、と私はしみじみした。今日の彼女はGパンにちょっと刺繍《ししゅう》の入ったフェミニンなブラウスを着て、フェイクファーのコートを着ていた。

白いほほをむちむちと揺らしながら、るみちゃんはなにもかもをじっくりと噛《か》んで食べていた。

「るみちゃん、彼氏はいるの？」

私はたずねた。前回はおそろしくてきけなかったのだ。部屋に行っただけで、なんだかるみちゃんの情報でおなかがいっぱいになったようになってしまった。

「いるよ。デンマークに。」

るみちゃんは微笑《ほほえ》んだ。

「へえええ。向こうの人?」

「ううん、日本人。向こうには有名なフリースクールがあって、今は留学しながらそこでバイトしていて、いろいろ教育のことを勉強しに行ってるの。いつか保育園を共同経営しようと思って、そのためにね。」

「堅実なおつきあいだなあ。」

私は感心した。

「まじめなおつきあいよ。だって、私の人生、うわついたことをしているひまなんてないもん。本当はもう少しうわついたことをあれこれしたかったくらい、確実に進んできてしまったわ。やっぱりそれは環境の反動ね。」

るみちゃんは微笑んで言った。

「ほたるちゃんも、いつでもうちの保育園で働かせてあげるから、職に困ったらぜひどうぞ。」

「嬉《うれ》しいわ。」

と私は言った。

子供の世話なんて考えたこともなかったが、大都会でせまい建物の中ではなくて、こののどかな環境でならなんだかそれも悪くないような気さえした。とりあえず、いざとなったら、そういう手もあるということだ。縁とはありがたい。東京では何ひとつつながらなかった私だけの世界が、こちらではゆるやかに糸をはってゆっくりとつながって広がってゆく。

「ところで、この間の男の人について、ちょっと意見を聞きたいんだけど。」

私は切り出した。

祖母もうっすらと彼をおぼえていることや、彼の境遇について、私はるみちゃんに話した。

るみちゃんはチーズケーキを大切に食べながら、うなずいて黙って聞き入っていた。

そして、言った。

「なんか、私にもわかるような気がする。ぼうっと光っていて、氷があるような、そういうところで、きっと二人は前に会っているのよ。」

「おばあちゃんも？」

「うーん、おばあちゃんはそこに入れなくて、それを遠くから、もどかしく見ていたっていう感じなの……。」

るみちゃんは本当に何かを感じているという様子で、そう言った。

「そうなんだ、いつか思い出せるかなあ。」

「元気が出てきたら、思い出せると思う。今のほたるちゃんには、頭をすみずみまで使えるほどのエネルギーがないもの。無理しないで。」

「ありがとう。」

私は言った。その、るみちゃんの言い方は本当にさりげなくて、力が入っていなくて、普通だった。そこがとても、こちら側も素直に感謝できるような様子だった。いつもいつも、るみちゃんのお母さんは人の心の世話をしていた。その才能がるみちゃんにも遺伝している。自分を決して曲げないで、他人を落ち着かせる術《すべ》を知っている。

「でも、そのお母さんは気の毒だね。」

るみちゃんは言った。

「もうその、後悔の地獄に堂々と、逃げずにはまりこんでいるものね。普通の人だったら、もう自殺してしまうくらい、向き合うのは苦しい道なんじゃないだろうか。でもその人は、真正面から、時間をかけて行く方を選んだんだと思う。あの、事故。本当に恐ろしかった。だって、どう見ても運転手の様子がおかしいから、みんな電話で通報したんだよ。でも、それに気づいてしまった彼が、崖《がけ》に突っ込んでいったんだって。その様子を、家族は携帯でみんな聞いてしまったの。さぞかしこわかったと思う。乗っていた人たちは。」

「全員死んだの？」

「そう、誰も助からなかった。赤ちゃんも、おじいさんも、おばあさんも。あの時は、町中が衝撃に包まれた。しばらく、バスを見るたびに悲しい気持ちになったもの。」

「私は東京にいたけれど、大々的にニュースになっていて、知っている人たちがたくさんコメントしていて、驚いた。」

　体が痛くなるほど緊張してそのニュースを見たことをおぼえている。

「子供の時に、行き場さえあれば、行き場のなかった人が大人になって、いろいろなことをためにためて、そういう事件を起こす率は減ると思うんだよね。やっぱり、早く保育園を開こう。」

　るみちゃんは健全な力に包まれて、そう言った。背筋がまっすぐで声がよくとおるところは、お母さんにそっくりだった。

「るみちゃん、絶対に占い師にもなれるよ。」

　私は言った。

「いや、本職のお母さんにはやはりかなわないし、同じ道はつまらないから。」

　るみちゃんは微笑んだ。

　私は、二十代半ばにもなって、自分がいかに幼いかを思い知った。私が人のためだけに自分の時間をさき、できるようになったことは写真の現場のちょっとしたアシスタントとひまな時期に通いでとったネイルアートの資格だけだったこの長い時間を、ちゃんと自分のむいていることに向けて、自分を見つめて着実に過ごしている人もいるのだ。

　甘かった、と私は思った。いい意味で、しっかりとそう思ったのだ。でも、それはるみちゃんが苦労人だからだろう。墓をきれいにして心をなぐさめるひとりきりの子供時代を、ちゃんと咀嚼《そしやく》して身のうちにとりこんだからだろう。

母が死んだことで、人々は私に同情し、祖母も祖父も私にとても甘かった。私はそれにべったりと寄りかかって、そのまま今まで意識を変えることはなかったのだ。

「でも、話は戻るけれど、そのお母さん、何か一回ちょっとしたきっかけがあれば、変わる気がするの。もうそれは何でもいいし、ほたるちゃんが目の前に行くだけでも、流れが変わるかもしれない。あとは何か、ちょっと笑えるようなこととか。私の感じだとだけれど。私もプロではないので、確かなことは言えないけれど、今、彼女はふたつに分裂していて、ひとりはもうこのまま死んでしまいたい、というふうに思っているの。でももうひとりはその中で、すごくしっかりしていて、自分のしていることがよくよくわかっていて、ただきっかけをつかみたくてもがいている。そう思える。」

「きっかけってなんだろう?」

「そのお母さん、TV観《み》てる?」

「わからない、聞いてみる。でもどうして?」

「観てるなら、やめたほうがいいと思う。今、ＴＶを観続けていることは、彼女をいっそう弱らせる。」

るみちゃんは遠いところを見るような目をして、きっぱりと、見てきたようにそう言った。なので、私も素直に受けいれた。

「わかった、すすめてみる。」

「あと、その、彼の方が、そもそも全然大丈夫な人だけに、物理的にもう限界って感じがするの。」

「それは私もそう思う。」

「友達だったら、助けてあげて。それがほたるちゃんをも元気にするかも。」

「うん、わかった。」

るみちゃんは、私がプロの占い師でなくてごめんね、お母さんが帰国したら絶対紹介するから、と言った。

「彼氏も紹介してね。」

と私は言い、彼の写真はないの？　と興味本位で聞いてみた。

るみちゃんはちょっと照れて、ものすごい仏頂面《ぶっちょうづら》で、手帳から写真を出した。

背が高い、角張った感じの、優しそうな彼とるみちゃんがデンマークの寒そうな街角で笑っている写真だった。まさに有名なロイヤルコペンハーゲンの本店があるところで、人通りが多くて、後ろにはあの有名なブルーの花柄の器がたくさんウィンドウに並んでいるのが見えた。

冷たく澄んだ空気の中で、遠距離恋愛を着実にはぐくむまじめな二人が久しぶりに会えて、分厚いコートで包まれた腕をしっかりと組んで、笑っている。

そのカップルの感じは、私の胸まであたたかくさせた。

まだまだ冬は続く。窓の外はどんよりとした曇り空だった。それでも温室のようなこの店、お客は他におばあさんのグループがしんみりと話し込んでいるだけのこの暖かい室内で、私は何となく、時間が戻っていくような気がした。るみちゃんと私はまだ子供で、もうすぐ姉妹になるのだというような気持ち、あの時の、ちょっと面倒くさいような、わくわくするような気持ちが、ほんのりとよみがえってきたのだ。

帰り際《ぎわ》、るみちゃんは言った。

「小さい、手袋……思いあたることある?」

「手袋?　どうして?」

私はびっくりして言った。

「全然思いあたらないけれど。」

でも、全然思いあたらないのに、なんとなくふと頭をかすめるイメージがあった。

赤と白の、子供サイズの手袋だ。

「なんだか、今、ふと思ったの。それがあのお母さんをほほえませるかもって。」

るみちゃんは言い、手をふって橋を渡っていった。


倉庫で寝るのは本当に楽しかったし、小さい机を買ってほんの少し自分の部屋っぽい雰囲気もでてきた。スーツケースひとつで帰ってきたのだが、そこに入れたままとっかえひっかえ着ていた服も限界となり、実家に行って母の昔の服を持ってきたり、大きな町に出て買ったりしているうちに、入りきらなくなってきた。しかも、しきぶとんがせんべいのようだったので、しょっちゅう寝違えるようになってきた。

おかしいなあ、大山倍達《ますたつ》は、確か、固いところで寝るほど人は鍛えられ健康になると言っていたのだが……などと思いながら、私はある日、スーパーにマットを買いに行った。こうしてものが増えていって、生活がはじまるのだなあと思いながら。

その日も固い床に密着して寝ていたために首がどうにかなったらしく、ちょっと痛いなと思いながら大きなマットを抱え、私は道を歩いていた。重さはさほどでもなかったが、首が痛いので、休み休み歩いていた。真冬でもやっぱりコートの下にしっとりと汗がにじんでくる。川を吹きわたる風が心地よかった。

するとしきりにクラクションを鳴らす車がいて、ナンパか？　と思ったら、みつるくんの車だった。雪道仕様の大きな４ＷＤだった。

「乗せていってやろうか。」

と言うので、喜んで乗せてもらった。

彼は、元気そうに音楽をかけて歌っていた。

「お母さんはどう？」

と私はたずねた。

「もう、ほとんど起きてこない。この間往診のお医者さんに来てもらって、体の機能に問題が起きてないか、調べてもらった。体に、カビが生えているそうだ。そういうことってあるんだねえ。窓を開けて風は通しているんだけど。あと、ちょっとした床ずれみたいなものもできていて……。親戚《しんせき》のおばさんが毎日のように寄って、どうしても風呂《ふろ》に入らない時には、体を拭《ふ》いてくれたりはしているんだけれど。」

「すわったり、お風呂に入ったりはするのね?」

「たまに、ちょっと元気なときに、自分からそうするけれど、思ったように体が動かなくて大変だと言っていた。最近ではほとんどしゃべりもしないよ。ずっと寝てる。」

「それは家族にとってはショックだね。」

「いろいろ話しかけたりしているんだけれど、たいていの時は別の世界にいるようで、遠いんだ。あれは、多分本当に別の世界にいるんだな。そして、そこでじっと傷を治しているんだろうなあ、野生動物のように。自分の親がそういう技を持っているなんて、全然知らなかった。このままにならないといいんだけど。野生の生き物は、治らなければそのまま死んでしまうからなあ。」

　私はTVのことを話してみた。

「いつもTVはつけっぱなしで、終わった頃に俺が消しに行くんだけど、そう言われてみると、TVって勝手に進んでくれるから、ますます無気力になるのかもな。壊れたから買い換えるとか店の客が観たがっているとか言って、数日部屋から出してみよう。」

　彼はちょっと元気な顔をした。

「一日くらいなら、私が留守番してあげるから、どこか……そうだ、スキーにでも行ってきなよ。」

　私は言った。

「それは悪いよ。昔からの友だちにもなかなかあのおふくろを見せられなくて、めったに頼めないのに。」

「みつるくんの携帯と、そのおばさんの連絡先さえ置いていってくれれば大丈夫。昔からの友だちじゃないからこそ、いいんじゃない。私は元気な時のお母さんを全然知らないから。」

私は言った。

彼はしばらく黙って、遠い、雪山を思っていた。それは、私にも伝わってきた。その憧《あこが》れ、その渇望。

車を降りるとき、彼はちゃんと後ろの席からていねいに私のマットを引っぱりだし、倉庫の玄関まで運んでくれた。そういう些細《ささい》な動作や、たとえばラーメンのもやしが新鮮であることとか、家の中にある植物の様子などで、その人の育ちは伝わってくる。私は、彼のお母さんは大丈夫な人だと、彼のご両親は名もない人であっても多分偉大な人なのではないかと、そうしたことでなんとなくわかっていた。

「ありがとう、よく考えてみる。」

と彼は言って、車に乗って去っていった。

「でも、その申し出を受けただけで、実際に頼めなくても、もう、スキーに行ったようなすっきりした気持ちがするんだ。」

彼は笑ってそう言った。

私はひまなわけだし、別にみつるくんとつきあっているわけでもないので、言いっぱなしはよくないと思って、ある午後、お昼休みにチーズケーキを持って、みつるくんのお母さんのお見舞いに行くことにした。

もちろんみつるくんが家にいるということを確認してからだ。

みつるくんはいつものラーメン屋玄関からではなく、下の、ちゃんとした表玄関に出てきた。

「人に会うのはいやではないかしら。」

私は言った。

「大丈夫、たまに俺の友だちとか親戚にも顔出してもらってるから。」

みつるくんは言った。

「TVをここ三日、壊れたことにして使ってないんだけれど、それがいいみたい。けっこうちゃんと目を覚ましていることが多いよ。」

みつるくんのえらいところは、治らないお母さんをじゃまにしないで、今のお母さんとそれなりにつきあっているところだった。その境地は私にははかりしれなかった。

普通だったら、治っている状態が本当だから、一日も早く、自分の都合のためにもそこに近づいてほしいという気持ちになるだろう。でも、彼はそうではなくて、せかす様子がまるでない。むしろ、これはこれでいいといった風情《ふぜい》があった。

私にそれができるだろうか……、気持ちをうまく切り替えればなんとかできそうだけれど、相手をそこまで信じて尊重することなんかできないような気がした。社会の観念やこうあるべきという回復のしるしに、ついとらわれてしまう気がした。

きっとごはんを食べてくれれば嬉《うれ》しいし、感情が見られれば喜んで、そうでないときにはなんとなくあせったり、もどかしく思ったりするのではないだろうか。たとえそれが意味のないことだとわかっていても、きっと先のことばかり考えてしまうのではないだろうか。

思ったり決めたことをちゃんと実行できるには、私は少し心がなまりすぎていないだろうか。落ち込んでいる場合ではなくて、まだ変わっていけるのではないか。そう思えた。友達とは、何も言わなくてもそういうことに気づかせてくれるものだ。

玄関の脇《わき》の納戸みたいなところに、今は出番を失っているスキーの板や靴や道具があって、ちょっと胸が痛んだ。

「ねえ……スケートはしないの？」

私は、ふとたずねた。

「するよ、子供の時は、選手になろうとしていたくらい。今はスキー場の方が近所だし、インストラクターになったから、ちょっと遠のいてるけど。何で？」

「なんとなく、そう思っただけなんだけれど。」

私は言った。

入るよ、と言ってみつるくんはお母さんのいる部屋のふすまを開けた。

暗くて、しめった感じのする部屋だった。寝ている人の匂《にお》いと、悲しい感情の残像がたまっていた。そして、お母さんはふとんに小さくなって寝ていた。みつるくんがカーテンと窓を開けると、お母さんは目を細めた。まるで骸骨《がいこつ》みたいに細くなって、見るからに弱々しく、胸元のボタンもはずれていた。パジャマにはたくさんしみがあって、爪《つめ》ものびていた。

そして明るくなった部屋には仏壇があり、みつるくんによく似たお父さんの写真があった。

「友だちの、ほたるさん。あの、奇人の先生の娘さん、チーズケーキの店のおばあちゃんのお孫さん。ケーキももってきてくれたよ。今食べる?」

みつるくんが言うと、お母さんはちょっと笑って、

「あとにする。」

と言った。そして、

「時間がかかってね、何もかもに、時間がかかるたちなの。でも、時間がかかるだけで、大丈夫なんですよ。」

と、私の目を見て、言った。

それはひとつの社交辞令も嘘《うそ》も含んでいない言葉だったので、私はうなずくしかできなかった。お母さんは本当にそう思って言っているのだと思うと、私が言おうとしているどの言葉も軽々しくなってしまう。

「そんなこと言っているうちに、体がなまっちゃうぞ。」

みつるくんは言って、お茶をいれてくる、と去っていった。

「お見舞い、ご迷惑ではなかったですか？　祖母からもよろしくとのことです。」

私は言った。

「今、無理をして起きたら、後でたいへんなひずみが生まれてしまいそうだから、ぎりぎりまで、様子を見ているの。私は、大丈夫ですよ。みつるはたいそう心配して、いつも世話をしてくれているけれど、本当に大丈夫なんですよ。」

お母さんは言った。

そのかすれた声は、話をする体力もぎりぎりという感じだった。

「どうか、ゆっくりと時間をかけてくださいね。私も、お手伝いできることはしますから。」

私は言った。そうとしか言えなかった。この人は、私と違って、自分の状況から逃げているのではなくて、向き合いすぎているのだ、と思った。そんなふうに爪はのび、肌の色は悪く、髪の毛はぼさぼさで薄汚れていても、みつるくんのお母さんは自分を保っていた。

その目から、透明な涙がこぼれてきたので、私はその骸骨みたいな手をそっと握った。冷たい、骨ばった手だった。

「望まれてお嫁に来たけど、本当にすばらしい優しい人でした。ずっとすごく楽しくて、子供もさずかり、毎日が夢のように過ぎました。」

お母さんは言い、目を閉じた。そしてそのまま、軽くいびきをかきながら眠ってしまった。

「ありゃ、寝てる。じゃああっちでお茶にしよう。」

お茶を持ってきたみつるくんは言った。

もらい泣きしていた私はそっと涙をふいて席を立った。みつるくんはお母さんの枕《まくら》元《もと》にお茶を置いて、やはりそっとふすまを閉めた。それは落ちてくる羽根を手のひらでうけとめるような優しい動作だった。

「どうも今日の体力を使い果たしたみたい。」

と言って、みつるくんは笑った。

私はお茶を飲みながら、

「お母さんは自分の境遇をわかってないわけではないんだね。」

と言った。

「そうなんだよ、だから、無理に元気を出せとは言えないね。」

みつるくんは言った。一冬くらい逃しても、スキー場は逃げていかないからとも言った。

「みつるくん、恋人はいないの?」

私は言った。

「こうなったら、突然逃げられた。五年も交際していたんだけど。結婚してもいいな、と思っていたんだけど。」

みつるくんは言った。

「そうだろうね、みつるくんとお母さんの間に入れるものは今、ないもんね。」

「それを理由に逃げていった。」

みつるくんが笑ったので、私も笑った。

今、この家の中にいる人たちは、私も含めてみんなさえない状態だった。そのさえなさがひとつの奇妙な心地よさを生んで、冬眠中の熊《くま》のように、自然に小さくなって過ごしていた。この家の中の二階が唐突に店になっている混沌《こんとん》も、出番を失ったスキー用具も、洗濯物が干しっぱなしのところも、茶しぶのついた湯飲みも、奇妙な調和を見せていた。

今は、こうしているしかないのだというお母さんの言葉は重みがあった。逃避しているのではない、きっと考えて考えて考え抜いたのだ。

「お母さんは、いつかちゃんと自分で決めて立ち直ると思う。」

私は言った。

「心のことは心配してないんだけど、体が……。」

みつるくんは言った。

「母は昔から、意志が強く、俺から見ても、心の力はものすごく強い。でも、体が弱っていくことをおろそかにしすぎなんだ。俺は、体を動かすことで生計をたてているから、よくわかるんだ。体は心と連動して、微妙な力を発揮している。心が弱っていても、体を動かしていることで最低限の何かが保証されることはたくさんある。だから、体は、ああいうふうに機能を全く使わないでいると、そのうち、心を支配するほど弱っていくんだよ。それがとりかえしのつかない段階にならないといい……っていうのが、今、たったひとつ心配していることなんだ。心の強い人は、たいてい心さえしっかりしていれば体はなんとかなる、って体のことをばかにしているんだ。でも人って、ある線を過ぎると、こんどは体が弱っていることが心を引っ張っていってしまうんだ。」

「その、最低限の保証を捨てたかったんじゃないかしら。」

「即身仏みたいなものかなあ。うっかりつきつめすぎはしないかなあ。死んでもらっちゃ困るなあ。いつでも楽観的な気持ちだし大丈夫と思っているんだけど、そういうことを空想したときだけ、暗い気持ちになるんだよ。」

「きっと生まれ変わるよ。今は本当にさなぎの状態に、てっしているんじゃないだろうか。」

私が言うと、みつるくんはうなずき、そして、ちょっといやなことを思い出す顔で話し始めた。

「あの朝、もう支度したおふくろが頭が痛いって言いだして、あなたも行くのやめましょうって、何回も言ったんだよ。でもおやじは、すごく仲のいいおじさんが行くから、ひとりでも行くよ、って言った。それで、おふくろは子供みたいに泣いて、よくデパートにいるみたいな、買って！って泣いてる子供みたいにおやじの手を持って、床にすわりこんで、頭が痛くて死ぬから病院に連れて行って、って言ったんだ。ものすごく異様な光景だったから、忘れられないよ。そのあと起こったあの、事件はもっと異様なことだったけど。でも、今思うと、もうその朝、うちの家族はあの犯人の心の力にすっぽりと包み込まれていて、抜け出せない状態になっていたような感じがする。もう、町中があの悪い心に覆《おお》われていて、息苦しかったような気がする。みんな、どこかで知っていたような、でもどうすることもできなくてその運命に飛び込んでいったような感じがするんだ。おやじもそのおかしな磁場で、少し勘が狂っていたのだと思う。意地になって、ひとりで行ってくる、みつるに連れて行ってもらいなさいって、まるでお父さんみたいにおふくろを優しくさとして、出ていったんだ。」

「それはさぞ悔やまれたでしょうね。」

「いっしょに行きたかったんじゃないだろうか。」

みつるくんは言った。

「でも、そうしたら、みつるくんがひとりになっちゃうじゃない。」

私が言うと、みつるくんは、驚いた顔をして私を見た。

「そうだよね、これでよかったんだよな。」

彼は言った。

どうも本気でお母さんを行かせてあげたほうがよかったのでは、と思い悩んでいるみたいだった。この家族の特殊な価値観は、それでも私を感心させた。

「どうも、うちはバスに縁があるみたいで、おばあちゃんもバスに関係のある仕事をしていたんだけれど、なんかおかしい言い方になっちゃうけど、おばあちゃんがバスターミナルで働いていたことで、いろいろなよくないものを町から遠ざけていたようなふしがあるんだよね。だから、もしかしてそのことをよく思わなかったりくやしく思っていたものがいて、その誰かか何かが、因縁としてこういうふうに復讐《ふくしゅう》しようとしたんではないか、とまで、俺は思い詰めたよ。」

みつるくんは言った。私にはこの時まだ彼の話がぴんとこなくて、とんちんかんなことを言った。

「因縁っていうものは確かにあるのかもしれないし、よくない次元は必ず存在すると思う。でも、家族みんな死んでしまったわけではないもの。お母さんは生きているし、思ったよりもずっと大丈夫だった。時間はかかるかもしれないけれど、きっと元に戻ると思う。」

「TVをずっと観《み》ている時は、どうなるかと思ったけれど。」

みつるくんは言った。

「私も、経験あるけれど、あれは中毒だと思う。朝、起きてまずTVをつけてしまうと、あっという間に一日がたってしまうの。」

私は言った。

それは、ひとりになってすぐ、私がおちいった症状だった。誰にも会ってないのに、一日の終わりにはたくさんの人のたくさんの声や姿で頭がいっぱいになって、体は動かしてないのに、とても疲れている。でも、音のない時間はつらいし、音楽はいろいろなことを思い起こさせすぎる。番組の内容がくだらなければくだらないほど楽だった。私はその時、脳はほとんどなく、体は管で、目はＴＶを追うだけの、虫みたいな感じだった。そうしているほうが、暗くなっている部屋で横たわっているよりはまだましだというくらい、エネルギーがなかった。

そんな暗く重い回想にとらわれて一瞬目の前が暗くなった私の内面を知らずに、みつるくんは「ラーメン食ってく？」と言ったけれど、お昼休みが終わってしまうので私はいとまを告げた。

外に出ると、何事もなかったかのように川の水がきらきらと光っていたし、風が草をそよそよと揺らしていた。散歩する人たちや、お弁当を食べている人たちの顔も光って見えた。

私にはもう、ちゃんとこの景色の活気がきれいに見える。夕方に向かって、太陽の光は最後の勢いを発散させ、その恵みのもとで人々は営みを続ける。きっと大昔、巨大な川のまわりで文明がおこった時代からずっと、そうなのだ。太陽が東からやってきて、夕方金の馬車で西に去っていくまで、人々はそのエネルギーを一身に受けて、生き続けていく。その単純な流れの中にはありとあらゆる側面がひしめきあって、生命の力はよどんだり、ちぎれたり、ぶつかったり、沈んだり、大きなうねりを生み出している。

でも、今のみつるくんのお母さんには、その流れが大きすぎて、強すぎて、まぶしすぎてしまうのだろう。

「私、思いだしたわよ、あの男の子をどこで見たのか。」

私と祖母は店の定休日、日帰りで近所の温泉にドライブに出かけた。

温泉に入って、すっかり暖まり、廊下の休み処《どころ》でふたりで冷たいお茶を飲みながら、うっそうと淋《さび》しくかすんだ山々を見あげていたら、急に祖母がそう言いだした。

「みつるくんのこと？」

「そう、思いだした。あんた、小さいとき、肺炎になって死にかけたのをおぼえてる?」

「うん、話には聞いてるけど、五歳くらいの時のことだから、あんまりはっきりとはおぼえてない。」

「あんたが急に呼吸困難になって病院に行ったとき、お母さんが救急車に乗ってついて行って、私はお父さんの運転で後から行ったのよ。」

「そうなんだ……。」

私は懐《なつ》かしさにまたぐっときてしまった。

母がつきそってくれた光景をはっきりと思い出したのだ。

「その時、おばあちゃんは、生まれてはじめて幻覚を見たのよ。」

と祖母は言った。若くして父を産んだから、まだ祖母は若かった。それでもまぶたもずいぶん落ちてきているし、手もしみが目立った。私は浦島太郎だった、というよりは半分死んでいた。悔いはしないが、こうして愛する人々と並び、座って同じ景色を見るのは久しぶりのことだ。

恋愛はとてもすばらしい。でも、この世の中は、もっともっと大きなことでできているんだ、と私はまた実感した。

「大橋のところに差しかかったとき、なんだか橋のたもとの土手が明るかったの。明るく見えたの。ちょうどナイターの時の球場みたいに、にぎやかな感じで。そして、どうしてか、よく見ると水際《みずぎわ》に人が何人か集っていたの。お年寄りや、小さい男の子とか、赤ちゃんを抱いた女の人とか、いろいろな年齢の、男や女がすごく楽しそうにしていたの。」

「それって、ただ散歩してたんじゃなくて？」

私は言った。そういう光景は、たとえ真冬でもよく見かける。あの町ではとにかく気分を変えようと思ったらみんなが土手を散歩するのだから。

「それが……おばあちゃんのこと、ぼけたと思わないでね。変なものを見たの。そこには、なぜか、スケートリンクが、あったの。」

祖母は恥ずかしそうに、言った。

「スケートリンクはないよね。確かに。」

だってそこはただの土手なのだから。

「だから、自分でも半分夢を見ているんだ、っていうのは自覚してたんだよ、でもとにかくそこはぼうっと光輝いていて、ちょっと違う雰囲気で、みんな異常ににこにこしていて、すごく幸せそうだったの。老若男女《ろうにゃくなんにょ》がみな、集っていた。スケートをしている人もいたし、していない人もいた。そしてとても自然な笑顔で、何かを眺めているの。向こう岸の方を指さしたりして……一瞬、私も自分の立場を忘れてちょっとにこっとしてしまったほどだった。ちょっと会話をしたり、赤ん坊をあやしたり、かがんでまた立ち上がったり、みんなゆったりした動作で、白く輝くように美しかった。氷が、淡く、真珠みたいな色に見えた。」

「それって、私の病気と関係ある風景だったの？」

「その人たちの中に、あんたがいたの。病院にいるはずのあんたが。」

祖母は言った。

「私がいたの？」

私はたずねた。

「もしかして、それって天国？　私って、一回死んだの？」

「それはわからない。あまりにもにこにこして、楽しそうだったから、私はあんたを心配することも忘れたくらいよ。踊るようなしぐさをしたり、知らないおばあさんの服のすそにつかまったりして、すごくリラックスした様子で、笑顔が輝いていたの。そばにはひとりの男の子がいて、赤いダウンジャケットを着ていたのをよく覚えてる。その子とあんたは手をつないで、ほほをくっつけあっていたの。にこにこにこにこして、ふたりとも、自然に、最高に幸せそうに、いっしょに滑っていた。」

それがみつるくんであろうことは、私にはもちろんすぐにわかった。

「ああ、楽しそうだな……と妙にぼんやりしていたんだけど、それもほんの一瞬のことよ。あんたのお父さんに、あれはどういうこと？　って聞いたときにはもうとっくにその場所を通り過ぎていた。私はその時はじめて夢から覚めて、突然ふるえが来てしまって……もしかしてあんたは死んでしまったんじゃないか、あれは天国なんじゃないか、って思って。ただ、すごく幸せそうだったの。赤ちゃんのときにはじめて笑ったときみたいだったよ。ほっぺたが真っ赤で、目がきらきらしてた。ああ、私の孫がいつもこんなに楽しそうだったら、いつもこんなふうに幸せな光に包まれていたら、どんなにかいいだろう、と思ったら、なんだか涙が出てきたくらいに、あんたは楽しそうに見えたのよ。」

「それが子供の時のみつるくんだったんでしょ？」

「そう、あの男の子にそっくり。」

祖母はうなずいた。

「ますます謎《なぞ》だなあ。」

私は言った。なにせ私は三日間くらい昏睡《こんすい》状態になって、意識が戻ったときにはみんな泣いていたようなありさまだったらしいから、何もおぼえていないのだ。熱くて、苦しかったということくらいで、夢も見なかったかもしれない。

「あの子に、死にかけたことがあるか聞いてみてよ、あったら、おばあちゃんの最初で最後の神秘体験だからね！」

嬉《うれ》しそうに祖母は言った。さすがあの父のお母さんだと私は感心した。

スケート……そのイメージは、なぜか容易に心に浮かんだ。この間みつるくんの家に行ったときに、ふとスケートのことが思い浮かんだのも、何か関係があるかもしれない。

何かの思い出が、私の中でもう少しの時間をかければ、ひとつにつながる気配を見せはじめた。

ゆだった体で大きな山や国道を行き交う車を見つめていたら、ゆったりとした気持ちになった。私たちは煮込みうどんでも食べようか、と席を立った。

こういうひとときの全《すべ》てが、幸福などという言葉では表せないものだった。無限の広がりを持った、生きているという感じなのだ。

そうこうしているうちに、私は、だんだん忘れてきた。

あの苦しかったことも、あの部屋を包む淋しくて重くて、目の前が暗くなるような感覚も、吐くようにしぼりだす涙のことも。

体のほうがどんどん忘れていく感じだった。時々発作のように思い出が襲ってきて足元をすくわれることはあったが、回数は目に見えて減っていった。体から、あの生活の感触がどんどん消えていくのだ。そして、顔つきが変わってきた。ゆったり、ぽわんとした、ぼうっとしている顔ではなくて、目がしっかりして、ほほの線もシャープになってきていた。

時間というもののおそろしい力を、私は実感した。まるで川の水に押し流されるように、もうたとえ戻りたくても、その感じのしっぽにさえも触れることはできなかった。

その夜、私はるみちゃんの家に泊まりに行っていた。

すっかりパジャマ姿で、シャワーも浴びさせてもらって、部屋の中でぬくぬくとくつろいでいた。たまに換気のために窓を開けると、冷たい空気にはかすかな花のような、春の匂《にお》いがまじっていた。

るみちゃんは言った。

「聞いてよ、このあいだ、ある男の子が、鳩《はと》の雛《ひな》を拾って、門のところに鳥かごを置いて、一生懸命育てていたの。もう本当に一生懸命に。保育園のいろいろなレッスンを休んでまで、かかりっきりで餌《えさ》をあげたり、獣医さんに連れて行ったり。その鳩とその子は、すっかり心を通わせて、その子は、鳥というもの全般を本当に愛するようになったの。でも、その鳩、浮浪者に食べられちゃったの。もう、どうしていいかわからなかったよ。」

「た、食べる？」

「そうなの、川縁《かわべり》に住んでいるおじさんが盗んで焼いて食べちゃったの。」

「同じ生き物を、全く違う窓から見るとそうなっちゃうのか……。その子にとっては、果てしない愛情の対象でも、おじさんには焼き鳥にしか見えないんだもんね。」

「でも、この話を聞いて笑ってしまいたくなると同時に、ちくっとするところがあるじゃない？」

「ちくっとどころかずきずきするよ。」

「そう、もう全く違う世界に生きているから、どっちが正しいっていうことは言えないのかもしれないもんね。どっちの立場をとるかは自由だけれど、たいていの人はちくっとしたりずきずきするわけだから、そういうふうに体の感じたことで押しとおさないと、子供に接することなんてできないよ。私たちがこの体で、ちっぽけな日常を生きている限り、それを超越した概念は、口に出しても仕方ないと思うんだ。あるということは、わかっていたほうがいいとしても。」

「それで、なんて言ってあげたの？」

「あのおじさんは君と見ている世界が違うから、自分の世界を大切にして、なんど壊れても作り直してね、って言うしかできなかった。」

「なんてむつかしいことだろう、私、やっぱりるみちゃんのところで働く自信はないかもしれない。そんなふうに、堂々としていられる自信がないわ。」

「でも私だって、実のところ、もしもみんなが等しく鳩を愛するだけの世界だとしたら、私はそこに住んで幸せだろうか？　っていつでも考えてしまうもの。別の考えに触れたときの感じは、やっぱりいつでも衝撃的で、自分の世界が広がっていく気がするから。」

　私はうなずいた。こんな小さな町で、このような若くあいまいな私たちが、そんなことを暖かい部屋の中でおしゃべりしていることは、くだらないことだった。でも、そこで通い合ったものが何かにつながっていく。小さな星のようなものが、ここに生まれる。

そんな青春をみんな置いてきてしまった私は、妙に素直な気持ちだった。新しい感じ、子供に戻ったような。

青春と呼べる時期に私が考えていたことと言えば、食べ物とセックスのことぐらいだった。もちろん彼の写真はいつでもすばらしい世界に私を連れて行った。でもそれはそれこそ他人の窓から見る景色だったのだ。

るみちゃんはふとんをしき、私はソファベッドに寝た。

そして段が違うのに、電気を消してからまたあれこれとしゃべった。

るみちゃんが言った。

「あの時、きょうだいができたら、幽霊とかカッパとかじゃなくて、人間と仲良く暮らせるかもって、とても期待していたのに、あのふたり別れるんだもん。」

私はちょっとじんときて、言った。

「るみちゃんは、私のことなんていらないと思っていたわ、あの時。だって、るみちゃんもお母さんも、しっかりと生きていて、きょうだいとかそういうしがらみが窮屈そうに見えた。」

「そんなことないよ、たくさん泣いたよ。きょうだいができるかもしれないっていう喜びが、消えて、またひとりで遊び続けなくてはって。」

るみちゃんは言った。

「でも、ひとりで川に行ったり、墓地に行ったりして、いつのまにか、またひとりに慣れた。」

「今、またこうしているじゃない。」

私は続けた。

「きょうだいでも友達でも同じだから。」

闇《やみ》の中でも、るみちゃんがにこっとしたのがわかった。

「ほたるちゃん、こっちに帰ってくれば。」

「それって、占い？」

「ううん、私の願い。」

るみちゃんは言った。

「ここにはほたるちゃんの人生を受け止めてくれるものがみんなあるよ。」

「まさか、みつるくんのことじゃないでしょうね。」

「それはまだ、わからないけど、川もあるし。」

「川が……。」

私は、思っていたことを、はじめて口に出すことができた。

「川が、私をぼんやりさせるように思うんだけれど。この、町に帰ってくると、私は川に包まれ、川音に飲み込まれ、この町の人全員と同じように、なんとなく頭がぼうっとして、守られているような、光に包まれているような気がして、考えた方がいいことがどんどん流されていって、ひとつの大きな夢の中にいるような気がしてしまうの。それがこわいの。」

「それはわかるけど……代わりに東京には東京の、世界中どこの場所でも同じような、独特の夢があり、包み込む幻想があるのよ。みんな、自分は外側にいると思っているけれど、土地の見ている夢からは、決して逃れることができない。自分の生き方を毎日続けていくと、ある日その仕組みがわかって、例えばここで言うと、川はますます大きな力に思えてくる。」

るみちゃんは言った。暗い中で、夢の中で聞く声のように、ぼんやりと声の感じがにじんできこえたのに、妙にはっきりと印象に残る話だった。

「るみちゃんにもそういう経験があるの？」

私は言った。

闇の中で、るみちゃんの声は静かに響いた。髪の毛が、外のぼんやりした明るさでうっすらと光って見えた。

「あるよ。ずっとひとりだったから。この、町中が見ている夢から、人間全員が見ている夢から、外に出たくて戦った。でも、気づいたらいつのまにか、外に出ていたの。」

それが何を意味するかは、それぞれの道だと私は感じた。私も私の内面を掘り下げていくことだろう、どこにいても。そして幻の外に一歩を踏み出せるかもしれないし、それはまた別の幻に移行するだけなのかもしれない。一生続く、勝ち目のなさそうな戦いだ。

ただわかったことは、同じように感じていた縁のある人が、ここに、今、生きているということ。そして、私は失ったものを、とりかえしつつあるということだった。

確かにそれを青春と呼ぶには、私はもう歳《とし》をとりすぎているかもしれないけれど、本当にそうとしか呼べない感触が、その時そこにあった。

私は、またもや何かにふわっと包まれたような感じがして、柔らかい眠りに落ちていった。

こうやって、まるでばっさりと切られた傷が治っていくように、ほんとうに少しずつ、新しい細胞が生まれてくる。そして、いつのまにか傷があった時とは、決して同じように考えられなくなってくる。体が勝手に今現在の自分に焦点を合わせてきて、どんなすばらしい過去であろうとぼんやりとしてくる。どうかみつるくんのお母さんにもこの治癒の力が働きますように、と私は思った。

その晩、私は夢を見た。

みつるくんのラーメン屋に行くと、なぜかみつるくんはいなくて、知らない、感じのいいおじさんがいた。ああ、これはみつるくんのお父さんだ、と私は思う。おじさんは何か捜し物をしていて、手伝いましょうか？　と私は言う。窓の外はなぜか真っ暗な森になっていて、大きな杉の木が天を覆《おお》うようにそびえたち、その隙間《すきま》から驚くほどの星がまたたいているのが見える。いや、おじさんばかだから、かみさんにあげたかったとっても大事なものをどの杉の根本に埋めたか忘れちゃってね、とおじさんは言う。

私は、それならどうして家の中を捜しているんですか？　と言う。すると、おじさんは笑って、まず、その場所を書いた地図を捜しているんです、でも、ここで会えたっていうことは、あなたがその地図なのかも、と言う。私は人間ですよ、と私は言う。おじさんはにこにこして、答えない。そしてなぜかその後で私は言う。私もあるものをどこに埋めたのか、すっかり忘れてしまったんですよね、と。風が冷たくて、とても気分がいい。窓が大きく開け放たれていた。おじさんは言った。ご実家の、子供の頃使っていたタンスみたいなものの中に、あるんじゃないですか？　と。

そして、ばかなことに、私はすっきりと目覚めて、まだぐうぐう寝ているるみちゃんのいびきとか水虫のある足の裏とか子供相手の毎日で案外筋肉のついた二の腕とかをじっと観察しているうちに、その夢のことをすっかり忘れてしまった。

いつのまにかみつるくんのラーメン屋からちょうちんがなくなっていた。聞いてみたら、安いお金で営業してお客を取らないでよ、と近所のラーメン屋からやんわりとした苦情が来たそうだ。その時以来、ちょうちんはなくなったが、夜中に窓の明かりがついていれば、常連さんは何となくチャイムを押してみることになった。

「これじゃ秘密クラブじゃない。」

「これじゃ夜中に友達を呼んでラーメン食わせてるだけじゃない。」

と私とみつるくんは冗談を言い合い、いつも通りにカウンターでラーメンを食べ、電気が消えていれば声をかけずに引き返した。

それでも、自分がどれほどあの時間をよりどころにしているかよくわかったのも確かだった。待ち合わせて外で会えば、田舎の独身者同士のデートになってしまう。それは世間的にはかなりの大ごとだった。そんなことに気をつかう活気は私にはなかった。自然に、ただなにげなく。時間はそういうふうにしか過ぎていってほしくなかった。

ある午後、スーパーで買い出しをしているみつるくんを見かけたので、私は声をかける前にその様子をじっと見てみた。いかつい肩で、大股《おおまた》に歩きながら、ラーメンを山盛りに積んで、キャベツやもやしやキノコを真剣に選んでいた。

その動作には何か人をほっとさせるものがあった。

彼はいろんなことを全然急いでいない、何も急いでないのだ。

私は、自分がそれを知らなかったことにがく然とした。

状況から見ても、彼は気をまぎらわせるために、何かに向かって、どこかをめざして、そのあいている時間をつまらなくしないためにラーメンを人に食べさせたりしているのかといつのまにか私は思っていた。

でもそんなことではなくて、彼は今は、単にそれをしているだけなのだ。お母さんが治ることを待っているわけではなかったのだ。今彼は、スキーの仕事に戻りたいけど家にいなくてはいけないのでラーメンを作っている気の毒な人だというわけではなくて、とにかく彼は彼のままで、どこにいても彼なので別になんでもないのだ。どうしてそういうことがそのスーパーの、冷たく冷えた通路で私に突然理解できたのか全然わからなかった。整然と並べられた食材の色とりどりな眺めと、まばらな人々の中で、私は立ち止まり、それを自分にひきくらべていた。

そして突然、わかった。

私は失恋してかわいそうな感じで東京を追われてきたので仕方なくここにいるわけではなくて、今、ひまだし好きこのんでここにいるのだ、そしてこれからもどこにいたっていいのだ、ということが。そうしたら、私をしばっていた鎖がまたひとつ切れたのがよくわかった。

重力から解き放たれ、一瞬、きれいな高みから世界を見おろす。

「これこそが治癒の過程だわ、本でも書こうかしら……。」

と私はつぶやき、自分でもインスタントラーメンを選んでいたら、みつるくんに見つかった。

「自分で買われちゃ商売あがったりだよ。」

　みつるくんは言った。

「たまには別の種類が食べたいなと思って。」

「だめだよ、浮気しちゃ。」

「だって、私小さい頃から、あの塩ラーメンばかり食べてきたんだもん。お母さんが死んでから、お父さんがいつも、いつでもお昼ご飯は塩ラーメンを作るんだもの。」

「具は？」

「バターと、ほうれん草。いつもそうだった。」

　私は言った。今でも、塩ラーメンの匂《にお》いをかいだだけで、母がいなくなった部屋の感じと、父がラーメンを作る背中を思い出す。鍋《なべ》の音と、水道の水の音。母よりも勢いよく水を出し、ほうれん草をいっぺんゆがくことなくいつでもあくがあるままで汁といっしょに煮込んでしまった父。あの頃の父の所在なさと一生懸命さ。ああ、だからみつるくんの作ったラーメンの匂いは、私を安心させるのか、と私は思いだした。

その頃、まるで魔法のように、時間は父と私を優しくくるんでいた。

ふたりでの生活の中でよく、家の中に母がいると思える時があった。私たちは悲しみで多少気がおかしくなっていたのかもしれない。でも、ちょっとした時に「今、ママがいる」「うん、今通った」とふたりは涙を流しながら言い合った。実際に植木の世話をしている母や、私が眠っていると起こしに来る母を、私は見た。

現実と別の世界の境がふと薄くなるとき、死んだ人とはそうやって出会うことがある。私はそういう感じをよく知っていた。自分が透けそうなくらいに何かを熱心に考えていると、いつの間にか境目が薄くなってきて、なんということもなく母の姿が見えたりする。そうでなくても面影はじっと佇《たたず》んで私のしていることを見つめていた。泣いたりするといつでも母の匂いがして、母の手が肩におかれた。生きてるときはよくヒステリーを起こして私をびたんと叩《たた》いた手のひらが、死んでからはいつでも優しかった。もうそう長くはこの世にいられないということが母にはわかっていたのだろう。

今では、めったなことでは母を感じることはない。きっと死んだ直後だけ、父と私は母の世界と近かったのだ。

だからそこには意外なほど、悲しみは少なかった。毎日が魔法の連続で、強い力に流されているような感じだった。母はいない、でもその頃母の存在は前よりもいっそう強烈に私と父の人生をきびしすぎる時の流れの中から隔絶し、くるんでいた。

あの、包まれた体験はいっそう父を神秘の世界にひきつけ、たとえカッパや初恋の幽霊が見えなくても、私を非現実的なところのある娘にした。私は体に母の愛情が直接しみてくるようなあの空気を忘れはしない。まるで朝の高原にいるような、冷たい澄んだ空気。強く光っていて、いつでも、どこでもふんだんに光が降り注がれている感じ。

「るみちゃんも、みつるくんも、みつるくんのお母さんも、私のお母さんやおばあちゃんも、お父さんも、とにかくこの町は変わった人ばかりいる、変な町だわ。まるで秘密結社のように、見えないことに重きをおいているみたい。」

私は口には出さずに、しっかりとそう思った。

そして、これもきっと川のせいだと結論づけた。川の気配が人々の心にしみこみ、じっくりと影響を与えているに違いない。

そう、最近母が私の前に姿をあらわしたのは、私が車を運転していて、どうでもよくなった瞬間のことだった。

あの人と別れて、いつもふたりで撮影に行ったところまで車で行ったときのことだった。私はひとりで風景を眺めた。寒桜のピンクがちらほらと残っている山景色がかすんでいるところや、いつも立ち寄った温泉にひとりで行って、いつも待ち合わせた大広間に誰も待っていないのをじっと見つめた。何かの残り香を求めていたのに、あるのはただ「これまでとは違う」という現実だけだった。

帰り道、真っ暗な山道で、私はもう面倒くさくなり、対向車が来ても気をつけてよけることはなかった。人が死ぬのはいやだから、自分が崖《がけ》にぶつかるくらいに大きくよけただけだった。そして、レンタカーだから、別にいいや、保険に入ってるでしょう、なんて思っていた。

私はその時、もう愛人でもなく、カメラマンのアシスタントでもなく、まるでなんでもないろくでなしだった。これほどなんでもない自分というものは、今まで見たことがなくて新鮮だったが、もう過去にすがるしかすることがない自分というのも、はじめて味わった。彼がらみの場所でなければ、行くところすら見つけられないとは、習慣の恐ろしさを思い知った。

一度大きなカーブのところで対向車をよけて、展望台みたいなところの駐車場にスリップしてすべりこんだ。車があったらおしまいだ、と思って、私は目を閉じた。

その時、フロントグラスいっぱいに母の顔が広がり、私はとっさに目をあけて、車が一台もないのを見つけた。そして、ハンドルを切ってブレーキを踏んだ。車はぶざまなかっこうで止まり、私の心臓はどきどきしていて、そして夜景がきらきらしているのを見た。大嫌いなはずの都会の明かり、平和な窓があるたくさんの光がまるで暗い波間に光る夜光虫のように美しく揺れて輝いていた。

「二度目はないわよ、あっちゃだめなのよ」と母の声がした。確かにした。心の中や耳の中に響いたのではなく、車の中で確かに普通の音として聞こえたのだ。

そこで私は我に返った。体が震えていた。今、死の近くにひきよせられたのだ。しよっちゅう山奥に一人で行く彼が言っていたことがある。

「山道にはとても魅力的なところがあるが、一線を超えると、生きることと死ぬことの区別がなくなるところがある。そのまま別の次元に入っていくんだ。そして、自分の心が弱いときには、たくさんの目に見えない存在が死の方にさりげなく人をひっぱろうとする。そこには呪《のろ》いだとか、たたりだとかそういう、俺たちが安直に名前をつけてしまうような暗い感情はなく、ただそういうものだという感じなんだ。そこでは死のほうがうんと自然なんだ。そういうものに囲まれたことが何回もあった。あの、寂しいようなぼうっとしたような、いつのまにか自分が乗っ取られる感覚は忘れがたい。そういう時に撮った写真は、人間が見たことのないものが実はたくさん入っていて、目に見えないエネルギーがぐっと濃縮されていて、濃すぎて人に嫌われるほどなんだ。」

今思うと、そういう世界に触れ続けている鋭いところを持った人だったから、私は彼を好きだったのだろう。そして、だからこそ、彼はこうと決めたことを、それが私と別れるということであれ、実行できたのだろう。後追いの未練の電話もなく、急な訪問もなく。

なぜなら、あの時かいま見た、自然の本当のこわさは、暗いとか孤独とかそんな生やさしいものではなかった。線があり、そこを超えたら生死は同じものになってしまう。感情抜きで全《すべ》てがすぱっと切れるような鋭い世界だった。

私はほんの少しだけ、その近くにその時、行ってしまったのかもしれない。


冬の町を、男の人の高い位置にある顔を見あげながら歩いていると、どうしても恋のことを思いだしてしまう。胸の生傷から血が出そうな感じがした。

それでも道を歩きながら、私はその時、楽しかった。みつるくんは私の荷物を持ってくれて、いっしょに駐車場まで歩いていった。遠くの山が白く雪をかぶっていた。空はそこにむかって吸い込まれるように青く、何も悪いことはないかのように澄んでいた。

車に乗せてもらって、山の方を一周して帰ろうということになった。

山の中腹にある喫茶店にコーヒーを飲みに行くことにもした。

冬枯れの景色でも、少し高いところから見る町並みはきれいだった。川がまるで神様が水をぶちまけたみたいな不思議な形で町を包み込んでいるのが見えた。ところどころ水面は光り、雲の影がふんわりと通り過ぎていった。

「大雪になるとここって、閉店しちゃうんだよね。」

みつるくんは言った。

「そうか、雪になるからね。そうしたらお客さんがみんなハイジに来るといいのに。」

私は言った。

窓は大きく、光がたくさん入ってきて、コーヒーの表面を黒く光らせた。

「ねえ、みつるくんの家の人って、どうしてそんなにどっしりとしているの？　何か宗教でも入ってる？」

私はたずねた。

「なんで？　そう思う？」

みつるくんは目を丸くして言った。

「うん、みんな、さりげなくすごく変わっている気がするけど。」

私が言うと、

「君のお父さんには負けるよ。」

とみつるくんは笑った。

「私も、お父さんのことはよくわからないけれど、何かと熱中するたちなのよね。」

と私は答え、これまで父がのめりこんだいろいろな瞑想《めいそう》やわけのわからない健康法や、数ヶ月口をきかない修行や裸で日光浴をするくせのことなどを話した。みつるくんはげらげら笑っていたが、ふと何かを思いだしたように、

「そういえば、うちのおばあちゃんは『バスターミナルの神様』と呼ばれていたよ。」

と言った。

「ええ？　あの？」

と私はびっくりした。

私は、その人の話を聞いたことがあったし、姿を見たこともあった。

この町のはずれのところに、大きなバスターミナルがある。そして、待合室があり、売店があり、食堂がある。そのおばあさんは、みすぼらしいかっこうをしていて、い

つでも、どんな暑い日でも寒い日でも、そのバスターミナルにいて、困った人の相談に乗ったり、熱いお茶をごちそうしてあげたりしていた。誰にもお金をもらっていないし、誰も頼んでいないのに、いつでもそこにいたので、いつのまにかみんな挨拶《あいさつ》をしたり、声をかけたり、手編みのマフラーやお弁当を差し入れたり、するようになった。そして、困ったことがあった時や、淋《さび》しい気持ちになった時は、そのおばあさんに話を聞いてもらいに行くのだった。

うわさによれば、たくさんの人を毎日見続けてきたそのおばあさんには独特の勘のようなものがあり、犯罪者が町にやってくると「あの人はよくない人だから、気をつけて見ていて」とおまわりさんにいちいち忠告しにいっていたという。それで強盗で指名手配されていた人がつかまったことがあり、公《おおやけ》には誰もそう言わなかったが、警察も何かあるとおばあさんに相談することがあったそうだ。それから、家出してきた若い人を見つけると、おばあさんはいつでもお茶をごちそうして、事情を聞き、家に泊めてあげたり、親元に連絡を入れさせたりしていた。

おばあさんが死んだとき、お葬式には長い長い列ができて、みんな泣いていたそうだ。そして、バスターミナルでも、おばあさんの不在がショックで、思わず泣いていた人たちをしょっちゅう見かけた。今回まだバスターミナルに行っていないのでわからないが、もしかしたら、今でもおばあさんに捧《ささ》げる花が絶えていないかもしれない。募金で小さなお地蔵様を作ったという話も聞いたことがある。

おばあさんが亡《な》くなったのは、私がこの町を離れてからだったと思う。

父はけっこう強い影響をそのおばあさんから受けていた。

「ああいう、名もない偉人はきっと世界中にいるんだ。」

とよく言い、本当にそういう人たちを求めて旅に出てしまった。

母が死んでしばらくしてから、父は散歩中にバスターミナルを通りかかり、そのおばあさんに優しくされて、人前でその膝《ひざ》に顔を埋めて泣いてしまったという。いつまでも、いつまでも膝に顔を埋めて、涙がいくら止まらなくても、おばあさんはじっとして、父の、子供みたいに熱くなってしまった頭に、優しく手を置いてくれたという。別れ際《ぎわ》にもただ、にっこりとしただけで、父の大人らしい社交が混じったお礼や言い訳は一切聞こうとしなかった。

「その節は、ありがとうございました。みつるくんのおばあちゃんに、うちの父も救われたことがあるのよ。」

私は言った。

「それにしても、あの人の孫だなんて、なんでそんな大きなこと、黙っているのよ。」

「もう時間がたっているから、みんな忘れたかと思ってた。」

みつるくんは言った。

「いや、あの人を忘れた人なんて、この町にはいないよ。それに……もしああいう人がいたら、みつるくんのお父さんみたいな、悲しい事件で死ぬ人はいなかったかもしれない。」

私は言った。

「そう、本当に、何回もそう思ったよ。おふくろのパワーでは、止められなかったね。それがまた、おふくろの悔やみどころだったんだろうなあ。」

みつるくんは言った。

この母と息子の持つ、不思議な落ち着きのルーツがわかって、私はなんだかすごくほっとした。得体のしれない感慨に名前がついたからだ。

「おばあちゃんと孫としての、交流はなかったの？」

私は言った。

「おばあちゃん、あまりにも有名人すぎて、幼い俺からしても、自分だけのおばあちゃんって感じではなかったなあ。公人だったからなあ。おふくろもよくそう言っている。みんなのために自分の全てを捧げていたから、自分のお母さんって感じではなかったって。でも、いつでも会いに行くと、にこにこして接してくれたから、悪い思い出はないよ。ホームレスのために炊《た》き出しをするのを手伝ったり、家出した人や、夫に暴力をふるわれた人を好んで泊めてあげていたから、おばあちゃんの住んでいたほったて小屋には、いつでも誰かいたしね。なんか、君が今住んでいる倉庫を見ると、おばあちゃんのこと思い出すよ。」

「悪かったわね。ほったて小屋に住んでて。」

「ううん、そういう意味じゃなくって、ああやって、ものがないところで女の人がちょこんとしている感じが、似ているんだよね。」

みつるくんは笑った。

そしてその瞬間は訪れた。その時の光のかげんや、陽にさらされた木々の乾いた色彩まで、よくおぼえている。

「そういえば、俺、おばあちゃんに言われて、小さな死にかけた女の子に手袋をあげたことがあったよ。」

みつるくんは突然言いだした。

「俺はその時、買ってもらったばかりの自転車で、土手を勢いよく降りていく遊びをしていて、川につっこんで、石で頭を打って、頭が割れて入院したんだよね。」

「軽い調子で言わないで、そんなこわいことを。」

「それで、意識が戻る前に夢を見た。スケートの夢だったんだ。」

そうみつるくんが言ったとき、雷にうたれたように私には全てがいっぺんにぴんときた。そして、話は全部つながり、みつるくんのお父さんを夢で見たことまで、思いだした。

でも、あまりにも驚いていたので、黙って話を聞いていた。

「なんか夢のようなスケートリンクで、いろいろな、とてもきれいな、光った人たちと、スケートをしているんだ。そして、みんな優しくて、実際には知らない人たちなのに、みんなしっかりとつながっていて、すごく安心で、とても満ち足りた気分なんだ。あれは、天国のスケートリンクだったんだろうなあ。滑っていく感じが宙に浮いているようだったもの。そして、女の子がいたんだ。わりと小さくて、でも上手に滑っていて、他に子供がいなかったから、手をつないで一緒に滑ったんだ。もしかしてその子のこと、ちょっと好きになったかもしれない。かわいらしくて、ほっぺたが赤くて、にこにこしていて、ただなぜか手袋をしていなくて、手が氷のように冷たかったんだ。」

それは私、とはその時言いにくくて、さらに私は黙っていた。

「意識が戻って、頭が包帯でぐるぐる巻きになっていた俺は脳には異常がないとみなされてわりとすぐに退院したんだけれど、見舞いにきたおばあちゃんにその夢の話をしたんだよ。おばあちゃんならわかってくれる気がしたんだ。そして、あの女の子、手袋がなかったのがすごく気になる、って言ったんだ。するとおばあちゃんは遠くを見るようにして『おまえ、そんな遠くまで行ったのか、よく戻ってきたね。』って言った。そして『きっと同じ時にそこにいたなら、その女の子は熱をたくさん出して、この病院にいるよ。お見舞いにおまえの手袋をあげなさい。きっとよくなるから。』と、しっかりした口調で、言ったんだ。俺はひまだったから病院中を捜したら、看護婦さんが協力してくれて、多分それは、今、ひどい肺炎を起こして面会謝絶になっている女の子のことだと思う。なんだかんだと理由をつけて、渡してあげるから、まかせなさいって手袋をあずかってくれたんだ。そして、その子の家族からありがとうって言われたところまでは、確認したけど、なにせ俺も幼かったし、退院したらすぐまた激しく男らしく遊びだしたものだから、すっかりその子がどうなったかは忘れてしまったけど、おばあちゃんの底知れない力は、その時すごく感じたなあ。」

その子は、退院して、元気に育ち、ここにいますと言おうと思ったけれど、あまりにもできすぎている話なので、なんとなく言いそびれた。時間がいろいろなことをあいまいにして、忘れさせて、その交流はお互いのなかではっきりとした形で思い出にはならなかったのだから、このままそうっとしておいてもいいかも、と思った。

車に乗り込み、坂道を下りながら私は、

「ねえ、みつるくん、雪山を見る目が懐《なつ》かしそうだよ、日帰りで絶対にスキーに行きなよ。私留守番するから。」

と言った。私があまりにもきっぱりしていたのでみつるくんは驚いた様子で、「いや、別に行こうと思えばおふくろを置いていっても全然大丈夫なんだけれど、何か気分が乗らなくてさ、でも、行こうかな、そこまで言うなら。」と言った。

私はその時心の中で「もしかして命の恩人？　だとしたら、できることをなんとしてもしなくては」と思っていたのだった。

私は、どうしてあんな大事な夢を忘れていたんだろう？　と思いながら、父のマンションに向かった。祖母は知らない男の子から手袋のお見舞いをもらったことを覚えていなかったし、夢の中でみつるくんのお父さんが言っていたタンスに思い当たるところがあったのだ。

そして、鍵《かぎ》を開け、まず家の窓を開け放って空気を入れ換え、母の遺品と私の子供時代の品々が入っている納戸《なんど》代わりの三畳間のドアを開けた。

母のものは、前に見たときと同じように、きちんと重ねられ、整理されていた。少しは胸が痛んだが、むしろ明るい感じの懐かしさだけがわいてきた。思わず微笑《ほほえ》んでしまうような感じだった。子供の時つかっていた、動物がたくさん描いてあるピンクのタンスを私は見つけだし、夢中でその引き出しの中をさぐった。

すると、古ぼけた、赤と白の模様がついた小さな手袋が出てきたのだった。

「うわあ……不思議。でも、そんなに不思議な感じがしないのはどうしてだろう？」

と私はつぶやいた。

匂《にお》いをかいでみると、古い毛糸の匂いがした。

これが、時を超えて人と人の縁を結んだ品なのだ、と思うと、とても貴重な、奇跡的なものに思えて、私はそうっとそれをたたんでバッグに入れた。でも、本当に貴重なのはものそのものではなく、ここにたくさんされた何かなのだった。

その朝、みつるくんは、やっぱり嬉《うれ》しそうに車にいろいろ積んで、スキーに出かけていった。

私はなるべくさっぱりとした、気負わない気持ちで二階のみつるくんのラーメン屋のあたりにいて、お母さんにお茶を出したり、様子を見たり、してほしいことを聞いたりして午後を過ごした。

お母さんは私のことを全然迷惑そうにしなかった。

「あ、今日はあなたがいてくれるの。」

というようなことを言って、にこっと笑った。

いっそう骨みたいに痩《や》せていたけれど、ほんの少し回復の兆《きざ》しがあるように私には見えた。時間が確実に、お母さんの中で何か新しいものを発酵させていた。

それでも、今、お母さんが寝ている部屋には、本当はお父さんもいっしょに寝ていて、朝起きて窓を開けたり、夜寝る前に今日一日のことを話したり、ここでみつるくんをつくったりした日々があったことを思うと、胸が痛んだ。お父さんの帽子や、万年筆や、本なんかがそのままその部屋には置いてあったからだ。体にしみこむほどの長い時間を誰かと共に過ごした場所。同じ窓から同じ景色を見て、枝の形さえも影絵のように目に焼き付いていただろう。

午後の三時くらいにまだ寝ているかと思ってのぞいてみたら、お母さんは薄目を開けて、

「あれ？　みつるは？」

と言った。

お母さんは寝ていると本当に骸骨《がいこつ》みたいで、身も心もまるで死体みたいにとても固そうで、みつるくんが心配する気持ちがよくわかった。でも目をあけると確かな命の流れがふわっとよみがえってくる。

「スキーに行ってます。夜には戻るそうです。お茶とか何かめしあがります？」

と聞くと、

「少しおなかがすきました。」

とお母さんはこんどはしっかりした調子で言った。

「なにならめしあがれます?」

と聞くと、

「もう、塩ラーメンとみそラーメンは飽きたわ。」

と言うので、

「じゃあ、ミックスをつくります。」

と言ったら、また、ちょっと笑った。

笑うようになってきた、と思うと、それが気をつかって笑っているのであってもとても嬉しかった。よく知りもしない人なのに、嬉しかった。

「オムレツはちょっと重いですか?」

と聞くと、大丈夫だと言うので、私は上の台所に行き、みつるくんの大切な冷蔵庫から卵を出して、ふわふわのオムレツをつくり、クラッカーとトマトを添えて持っていった。食べているところを見られたらいやだろうと思い、となりでお湯をわかして、ずいぶんとたってからお茶を持っていった。

お皿はほとんどからになっていて、クラッカーも一枚ちゃんと食べていたので私は喜んだ。

そしてお母さんはちゃんとすわって、お茶を飲んだ。

「ずいぶんとよくなってきたのよ。でも、体を動かせるようになるまでは、あと少しかかるみたい。」

とお母さんは言った。

「ずいぶんと、きちんと自分の状態を見ていらっしゃるんですね。」

と私は言った。

「あんまり具合の悪さに流されているように見えなくてすごいと思うんです。一日一日、自分のことをちゃんと判断していらっしゃるんですね。」

「だって、あの朝に運命はわかれてしまったんだもの。後を追っても、もう、追いつかないわ。」

お母さんは言った。

「まず、それを納得するのに時間がかかったの。それから、今も消えはしないけれど、憎しみが、胸を真っ黒にした。悔しさとか、そういうもの。それから、同じことが家族に起きた人たちの感情の大きな波も、私を翻弄《ほんろう》した。その嵐《あらし》がおさまってはじめて、もうしょうがないって納得したんだもの。でも、無理をしてはじめの頃になんでもないそぶりをしたら、一生、どこかが固いままになってしまうでしょう？　ちょうどみつるを産んだ時難産だったからしばらくはじっとして、動かないでいたように、絶対に、無理をしないようにしたの。」

「本当はそうやって、治っていくのがいちばんいいんだと思います。」

なにかとあがいた自分を反省しながら、私は言った。

「それにみつるくんも、それをよく理解して、全然あせらずに普通に暮らしていたし、ほんとうに、さすがバスターミナルの神様の家の人たちだ、と思いました。おばあちゃんには、うちの父もすごく助けてもらったんですよ。」

「私が産まれるよりも前に、私のお母さんにはとてもつらいことがたくさんあったらしいんです。でも、何があったのかは言おうとしなかった。そして、お母さんはいつでも柔らかく笑っていたけれど、とても厳しく誇り高い目をしていました。私が結婚したとき、この家を建てて、一緒に暮らそうって主人は言ってくれたんだけれど、お母さんは決して、自分の小さな家から離れようとしなかったし、心臓の発作で死ぬ三日前までバスターミナルにいたの。でも、自分ではもうそれがわかっていたみたいで、思い出の品とか、おいしい煮物とか、みつるへのおこづかいとかを持ってその日、『今日でおばあちゃんは引退するよ』って言いに来たんです。みんなでお疲れさまのすき焼きを食べて、これからはお母さんの楽しいことをしましょうね、旅行も行きましょうね、って話して『それにできればいっしょに住みましょうよ』って私が言ったら、『そうだね、それもいいねえ』って、自分でも嘘《うそ》だってわかっているのに、笑いながら言ってくれたんですよ。私は、ずっとお母さんが自分の母ではないような気持ちを、他のつらい人たちに取られてしまったような気持ちを抱いていたので、その時は、やっとお母さんが自分のお母さんになってくれる、って嬉しくて涙が出たほどでした。」

「私はバスターミナルの神様を見かけたことしかないけど、お母さんやみつるくんを見ると、そのお人柄がわかるような気がします。」

「言葉でなく、態度でいろいろなことを教えてくれたんだと思うわ。お母さんは、人間は、絶対に無理をしてはいけないっていつでも言っていた。無理が全《すべ》ての悪いことを生み出すんだって、口癖みたいに言っていました。そして、若いときにやはりひとりでバスターミナルにいた時、神様を見たって言っていたわ。山の方から神様がやってきて、お母さんの体に入ってきたんだって。それから、何かに守られているように、ならず者に脅されても、若者にからかわれても、決して傷つくことなく誇り高く、天寿と仕事を全うしたの。お母さんが無理をしていたわけがないから、きっと、本当にしたくてしていたことだと思います。眠いときはいつまでもちゃんと寝ていたし、家に泊まりに来た子たちにごはんを作らせたり、けっこう楽しそうにしていましたよ。私も生前はよく手伝ったり、お弁当を作ったりね。カイロを差し入れたりしたけれど、たいていお母さんのまわりには余るほど、そういうものがあった。あと、お花とか、野菜とか、みんながお母さんに何かをあげることで、自分を幸せにしていたみたい。私も、回復したら、似たようなことをしようと思う。毎日バスターミナルに行くのではなくても、なにかああいう、人を助ける仕事をしようと思うわ。」

みつるくんのお母さんは言った。すぐに疲れてしまうらしく、話の途中で横になってしまったけれど、目は輝いていた。

「でも、もう少し時間をかけて……春になったら、きっと、何かが変わるでしょう。」

お母さんは言った。

私は、バッグから手袋を出した。

「これ、昔みつるくんがお見舞いにくれたものなんですけれど、おぼえてますか？」

お母さんは目を見開き、

「あなただったの！」

と言った。そしてその小さな手袋を手にとり、なでさすった。

「よくおぼえてるわよ、みつるが『同じ病院にいる女の子と夢の中でいっしょにスケートをしたんだけど、手袋がなくて寒そうだから、夢の外でもあげるんだ』って言い張って、私は、頭打っておかしくなったのかと不安に思ったのよね、そうしたらお父さんが『そういうこともあるかもしれないから、気のすむようにさせてあげようよ』って言って、それで看護婦さんに心当たりの女の子を捜してもらって、たとえ何の関係もなくてもお見舞いだからいいわね、ってことにして、届けてもらったの。あの時は半信半疑だったので、どうなったかを調べることもしなかったけれど、本当に入院していたのね？」

「そうなんです、私は全然その夢をおぼえていなかったんですけど、私のおばあちゃんがその光景をなぜか見ていて、教えてくれたんです。」

「じゃあ、あなたがみつると夢の中でスケートをしていたんだ！」

お母さんは少女のようににっこりとした。その感じに元気な時の彼女が、初めて私には本当に見えた。今の弱った姿に重なって、花のように鮮かな色でぱっと輝いた。もうすぐ、きっともうすぐだろう。兆しが、新芽のようにきっぱりとあらわれはじめていた。それは、楽しかった夫婦生活に戻りたいというお母さんの気持ちから見たら、残酷なほど、はっきりとしていて、とどまることを許さないほどに確実なものだった。

「その手袋、お母さんにあげます。」

私は言った。

「思い出の品じゃないの。いいわよ。」

「ううん、私はもう命を救われましたから、こんどはお母さんのところに。」

私は笑って立ち上がり、ふすまを閉めた。

まるでタイムカプセルのように、過去からその手袋はやってきた。そして幼い私の小さな冷たい手をあたためたように、こんどはお母さんのハートを包むだろう。

上の階でカウンターに座ったり、床にねそべったりしていたら、いつのまにかうたた寝していて、起きたら夕方だった。西の空が赤くなって、光る雲が様々な色彩にきらめきながら、雪山を照らしていた。

ああ、いい天気だ。もうすぐ夜になるなあ……とずっとこの家にいるような感覚で私は目覚めた。少し前まで、どこのビルの谷間にも山一つ見えない、いつでも車の音が遠くに響いていて、みながせかせか歩いているところで恋に身をこがしてばかりいたのに、いつの間にか、知らない人の家でひとりで目がさめた。下にはこれまたよく知らないおばさんが寝ている。人生は予想がつかないものだなあ、と私はゆったりとした気持ちで思った。

窓を開けて、ストーブの熱気をちょっと逃し、ふと下を見ると、お母さんの寝ている部屋の窓の外に庭があって、私の腰くらいまでの小さい糸杉みたいなものがずらりと並んでいた。

ふと、何かを思い出しそうになり、私はじっとその杉を見た。

なんとなく、一本だけ、何がどう違うわけでもないが、色がきわだって見えたのだった。

そして、みつるくんのお父さんが出てきた、あの夢を思いだした。

「どの木の下に埋めたのか忘れたって、言ってたっけ。」

私はつぶやくと、階下に降りていって、玄関から外に出た。人の家だというのに、なんと勝手なことをしているんだろう、なんて思う余裕はなかった。その時の私は、何かに突き動かされるような感じだった。庭にまわる通路の途中にシャベルが置いてあったので、私はそれを無断で借りた。暗くなるとわからなくなってしまうとあせっていたのだ。

上から見た時にその木がきわだって見えたのは、根本の土の色が違うからだった。つまり、最近に掘り返したことがあるということだ。近くでよく見ると、やはりその木の根っこのところが新しい土だった。

私は猛然と掘りはじめた。日が落ちて、どんどん暗くなっていく。お母さんをたたき起こして懐中電灯を借りるよりは、あわてて掘った方が早い、そう思って、けっこう根本をぐるりと、しっかりと掘り進んだ。

やがて、すっかり腐りかけた木の箱が出てきた。

「あった！」

と私は思わず叫んだ。

手元が暗かったが、私はその木の箱を開けた。すると、中から、ビニールにくるまった小さな箱が出てきた。その箱を開けると、きらりと光るように汚《けが》れなく美しい、真珠の指輪が出てきたのだった。

財宝を発見した昔の人みたいに、私は涙ぐんでそれを見つめた。

「何をしているの？」

窓ががらっとあいて、お母さんが出てきた。

「うちの財宝めあてで留守番に来たのね！　なんちゃってね。でも、なにごと？」

留守番に来たはずのよく知らない娘がうす暗がりで庭を掘り返している……こんなわけのわからない状況を目にして、具合も悪いのに冗談を言えるとは、さすがインスタントラーメンで店をやっているとぼけたみつるくんのお母さんだ、と私は感心して、

「違うんです、これ、お父さんから、お母さんへのプレゼント。夢に見たんです。」

と言ったが、これもまた筋が通っていなかった。

はい、と手渡すと、やっと本来の持ち主にたどりついたその指輪は、いっそう輝きを増したように見えた。生まれたてのようにちょっとピンクがかって、虹色《にじいろ》に輝く大粒の真珠。お母さんにぴったりのサイズだった。

「ああ……結婚記念日に、何かいいものを買ってあげるって、あの人が、言っていたけれど。」

なぜかそれを手にとったら急に、少し前まであっけにとられていたはずのお母さんがこの状況に納得したように見えた。きっとお父さんが納得させたのだと思った。

暗くなってきたし、手を洗いたかったので私はそっと木の根っこに土を戻し、玄関から中に戻った。

「信じてもらえないかもしれないけれど、ここのうちのお父さんが夢に出てきて、どこの杉の根本に埋めたのか忘れた、大切なプレゼントだったのに、って言っていたんです。さっきふとそのことを思いだして……あの手袋のことも、お父さんが、教えてくれたんです。」

私は言った。

「あの人、元気そうでした？」

お母さんは言った。

「すごく感じよかったです。優しい感じでした。」

「よかったわ。」

お母さんは涙ぐんだ。

そしてお母さんの指には、真珠が輝いていた。やつれて、色も悪くなったその指や体から、その輝きはかなり浮いていた。でも、時間がかかるかもしれないが、必ず。

ひとしきりしくしく泣いて、子供のようにお母さんは眠ってしまった。

私はすべりまくって満ち足りた顔で帰ってきたみつるくんには特に何事も伝えず、おみやげのチョコレートをもらって、星空の下、帰宅した。

全ては、お母さんが話した方が、いいと思ったのだ。

話すことできっと、ますます活気が戻ってくるだろう。

この、小さな町で起こった、ちょっとしたおとぎ話を。

もうそろそろ帰るよ、と父から電話がかかってきたのは、もう春が近い日のことだった。

「おまえ、まだいたのか。東京の部屋は腐ってないか？」

父は言った。

「お父さんが悪いのよ、帰ってくると言って、その後音沙汰《おとさた》がなかったじゃないの。」

私は言った。

「もういいじゃないか、おまえも帰ってきてその町に住めよ。同居がいやだったら、部屋代少し出してやるから、部屋を借りればいい。」

「そんなこと言わないで、向こうの部屋って買ってしまったものだから、売るのが面倒くさいのよ。」

「じゃあますますいいじゃないか、資金ができて。そっちでいっしょにおもしろおかしく暮らそうや、川縁《かわべり》でバーベキューでもやってさ。」

「みんなでそういうこと言わないで、心が揺れてくるから。」

「だって、おまえ、なんのために東京に帰るの？　誰がおまえを待っていたり、必要としてるの？」

父は言い、その言葉はぐさっと、くやしいくらいに私の胸に突き刺さった。くやしい！　絶対に帰ってきてやるものか、と思ったくらいだ。

「でも、このまま行くと、自分が何もしていないのに、いつのまにか、喫茶店の跡継ぎか、スキーインストラクターの嫁しかも姑《しゅうとめ》つきっていうのか、保育園で働くか、どれかになってしまうような気がするの。自分ではなんにも選んでいないのによ。」

私は言った。

「おまえ、まだまだ若いなあ、ばかだなあ。」

父はあきれたように言った。

「そういうのが最高なんじゃないのか？　自然に、川のように流れて、あるところにいつのまについていてしまうっていうのが。」

「ばかで悪かったね。」

と言いながら、電話を切ってしばらくしたらなんとなく、そうかもしれないという気がしはじめてしまった。そんなに選択肢があるなんて、なんとぜいたくなことだろう。東京ではたったひとつの、箱に閉じこめられたような選択肢しかなかったというのに、たかが場所を移動しただけで、自分は何も変わっていないのに、いろいろなことが起こった。しかも全《すべ》てが自分らしさの中で普通に起こってきた。

しかしその反面、これではいけない、意地を見せなければ、何かの言うとおりとか川の流れに飲み込まれてとか、そんなのはいやだと抵抗してやる、という気持ちもあった。どこからその気持ちがわきあがってくるのかは、さっぱりわからなかった。それはもしかしたら、当時、母以外の人と結婚しようとした父へのちょっとしたわだかまりが残っていたことや、ここにいる人々をあまりにも好きすぎて、やがて飽きるのがこわいという思いなのか。つながりをつくるのがこわいのか。この町には奇妙な、まるで川に支配されているような独特の哲学があるように思えた。その深みを、のぞき込むのがこわいような気がしていたからなのか。

いやしかし、そのどちらも誰かの考えた方法論だ、と私は思った。

何かで見た決まり事や、誰かがよしとした考えだ。

私は、時間をかけて、自分がちゃんと流れ着くようなところへ行こう。

そのためには、もう少し時間をかけなくては、と思った。みつるくんのお母さんのように、時の流れをおそれずに、もう充分だと思えるところまで。

川沿いの桜並木のつぼみが固くふくらんでくる頃に、みつるくんとばったり会った。このところ私の働く店ハイジでは、祖母が新メニューを入れたりして試作などでばたばたしていて、二週間ばかり顔を合わせていなかったのだ。

夕方の並木道で、向こうから来るみつるくんを見たとき、その、子供時代の顔を私もはっと思いだした。それは、私の冷たい手をあたためようとしてくれた、やはりまだ小さな手のぬくもりと、ずっとそうやってスケートをしていたい、という気持ち、ほのかなぽうっとするような幸福感と共に、よみがえってきた。

はじめて彼を見かけたときと、同じ気持ちだった。

「今、ひま？　たこ焼き食べない？」

みつるくんが言った。

「ひまだよ。でもどうしてたこ焼きなの？」

「そこのスーパーの向かいに新しいところが開店したの。貧乏脱出の番組でやっていた店らしいんだ、なんでも関西のすごい店で修業してきた人がやっているらしいよ。どれほどおいしいのかなあ、と思って、今から行くところだったんだ。」

「いいよ、買いに行こうよ。」

私は言った。

ちょっとした列に並んで、いろいろな種類のソースを選んで、私たちはまだちょっとおしりが冷たくなる川縁の石に腰をおろした。夕闇《ゆうやみ》がせまり、たこ焼きを食べるためにではなくふたりでいるためにそこにいる、寒さをものともしない私たち以外のたくさんのカップルが等間隔で川に向かって並んでいた。

たこ焼きは熱くて、おいしかった。東京ではなんでもない味なのかもしれなくても、こうして川の前で食べると全然違う。お茶の缶の熱い感触も、まるでカイロのように手にしみてくるように感じられた。顔が外気で冷たいのが、また心地よい。

街道沿いには大きなスーパーや量販店ができ、どんどん景観は醜くなっていった。人々は質の悪い焼き肉やすぐにだめになってしまう服を狂ったように買い込み、いろいろなうさをはらしているように見えた。でも、川があって、山があって、小さな沢があって、こんもりした緑いろの畑があるかぎり、小さな魔法はこの町に変わらず存在し続けていた。

あれ？　あんなにふさいでいたのに夕方になったら、もう、気分が変わっていた。西の方から何かきれいな光がどんどん押し寄せてきて、いつのまにかそれにさらされて気分が変わっていた、だとか、寝て起きたら、全く違う雰囲気に包まれていた。夜中に大雨が降って、空気がきれいになったからだ、だとか、そういうこと。

自然との感応はまるでいいセックスのようなものだ。大きな力に飲み込まれ、そこここに、例えば桜のつぼみの形だとか、葦《あし》の葉のすっとした直線だとか、石のまわりによどむちょっとした流れだとか、そういうところに官能的なラインが常に秘められている。それを目がいつのまにかながめては、すっかり満たされている。

「そう言えば、おふくろ、外に出て庭の手入れをするようになってきた。わりと元気で、今は、長い昼寝をする程度で、たいていは起きて過ごしているんだ。その代わりにいろいろなことを思いだして泣くようになってきたけど、一回泣くごとに、元気になっていくという感じ。」

みつるくんが言った。

「それで、いつもあの指輪をしてる。」

「そうか、よかったね！」

きっと歯に青のりをつけながらにかっと笑い、ムードのない答えを私はした。

独身の、互いに気がなくもないフリーな、しかも久しぶりに会った男女が、薄暗い川縁に腰を下ろしているというのに、ちっともいい感じになりはしない。

「いろいろとありがとう。おふくろが元気になったら、本物のラーメンをつくってもらって食べさせてあげるから。おふくろのラーメンはうまいんだよ。」

「なんでもいいからラーメン以外のものがいいんだけどな。」

私は笑った。みつるくんは言った。

「まさか、庭にあんなものが埋まっているなんて、全然気づかなかった。おやじはいつもものすごいことをするんだ、結婚記念日に。歌を歌いながら着ぐるみを着て帰ってきたこともあったし、バラを二百本買ってきたこともあったし、内緒で店を貸し切りにしていたり、徹夜でカラオケ大会をもよおしたり、知らない人をよそおって電話してきて、『お宅のご主人を誘拐した、二十万円持って川縁のベンチに来い』って言ってきた時もあった。」

「二十万円……案外安いね。」

「その二十万円で、その足でいっしょに宝飾店に行って、ペンダントを買ってあげたみたい。」

「お母さん、その全部が嬉《うれ》しかったのかなあ。」

「いや、いつも迷惑だったみたいで、結婚記念日が近づくたびに、びくびくしていた。ひっかかってあげるのも大変だって言ってた。特に誘拐の電話の時なんか。」

「そうでしょうねえ……。」

私はうなずいた。

だんだん暗くなっていろいろなものの境目が消えていく様子は、まるで冥界《めいかい》の景色のようだ。光がぼうっと川に浮かび上がり、町が静かに闇に沈んでいく。ゆっくりと、まるで船が沈没するように。

「おふくろが、部屋の整理をしていたら、おやじが描いた宝の地図が出てきたよ。杉の木の根本に宝が埋まってるって書いてあった。玄関から東に十歩、とかことこまかに書いてあったよ。きっと、死ぬ直前だってことなんて知らずに、庭に穴を掘って、わくわくして埋めたんだろうなあ。」

みつるくんが言った。

それを聞き、あの優しそうなお父さんが死の数日前に、一生懸命お母さんのるす中

に庭を掘っている様子を思い浮かべたら、私は思わず涙が出てきてしまった。そして、震える声で、

「たとえどんな死に方をしても、どんなつまらないことの巻き添えになって死んでしまったのだとしても、そのお父さんの魂が汚れることは決してない。つまらない意図で、つまらない人生に行き詰まってはた迷惑な生き方や死に方をした甘えた人が決して、絶対に遺せないずっしりしたものが確かにあるし、それは、形を変えて絶対に続いていくはず。前にみつるくんが言っていたような、因縁とかおばあちゃんの偉大な足跡のあおりみたいなものも、確かにあるかもしれない。でも、その遺していく力の重みこそが、きっと人間が唯一《ゆいいつ》このどうしようもなくたまらない世界の中に置いていける何かなのよ。」

と言った。

黙っているので横を見あげたら、みつるくんも自分の膝《ひざ》を抱えて、顔をふせて泣いていた。

私は、昔、互いに命の消えそうなはざまの時にその手にあたためてもらったことを

思いだして、みつるくんの手を握った。冷たい手だった。私は私の、ソースがついた汚い、小さな手で彼の大きな手を包み込むようにあたためた。

「俺だって、もう一回、おやじに会いたいんだよなあ。」

みつるくんは言った。

私は黙ってうなずいて、いっそうぎゅっと手を握った。

私たちはもうすっかり大人で、実際には簡単に寝ることができた。あまりにも互いの身内を知り尽くしていてその人たちとこれから顔を合わせるのが恥ずかしい、という以外にはなんの障害もなかった。私が長年の愛人生活で鍛えたあらゆる手練手管で、この筋肉質の体を楽しませ、冬の間鬱積《うつせき》したいろいろな欲望を解放し、全てを忘れさせてあげるのは簡単すぎるくらい簡単なことだった。

でも、今は、子供みたいに、あの、死にかけた時のふたりに戻って、いっしょに静かに涙する時だった。誰が決めたのかわからない、ただ今はそういう時だった。

もし機会が訪れれば、いつかそういう別の楽しみ方をするときもあるだろう。

闇の中で、いつのまにかうるさくさえ思えてくるような川音の中で、桜のつぼみの白っぽいピンク色と私たちの手のところだけが、ほのかにあたたかく灯をともしているようだった。

帰ろうか、と立ち上がるとき、彼はちょっとだけ、ほんとうに軽く私を抱きしめて、

「ありがとう……お礼に来年はただでスキーを教えてあげるよ。」

と言った。

私は彼の胸の中で、その心臓の音を聞きながら、

「スキーなんて大嫌い。」

と言った。

「寒いし、重いし、転ぶと痛いし。」

「あっそう。」

と彼は体を離して笑った。

「うまい人に教わると、好きになるかもよ！」

「来年まで、検討しておくね。」

そして二人は土手をあがって、それぞれの生活に帰っていった。

私は珍しい種類のみかんをたくさんおみやげに持って、るみちゃんに報告に行った。ついでにるみちゃんの部屋でパスタをつくって、一緒に食べた。遅くなったので泊まっていくことにした。

最近忙しくて疲れ気味、と言いながらるみちゃんは食後、たくさんみかんを食べた。

私が夢や何かのことを話すと、

「いいことしたじゃん、ほたるちゃん。いろんなことって、縁があってどうしてもわかるべきことなら、ちゃんとわかるようになっているのよ、やっぱり。」

と、あたりまえのことのようにるみちゃんは言った。私は自分の小さな冒険をそんなふうに簡単にかたづけられたので「ふん、だ」と思ったけれど、よく考えてみたら、るみちゃんの育った環境はそういう話のオンパレードで、日常に過ぎなかったのだから、あたりまえだった。

でも、その時、るみちゃんは確かに何かを見ているような感じで遠くを見ていた。

　そういう時のるみちゃんは、目の焦点を少しずらして、のっぺりとした表情になる。それは、雨上がりの花びらにたまった水滴のような、透明な目だった。遠くを飛ぶ鳥を見ているときの、猫の目だった。

　きっと話の具体的な内容でなく、そのトーンや色を目で見ているのだろう、と私は思った。

　そして、バスターミナルの神様のこと、おぼえてる？という話をしたとき、るみちゃんはちょっと悲しそうな顔で言った。

「私、子供の頃、あのおばあちゃんになぐさめられたことがある。」

「このへんの人であの人を知らない人は本当にいないんだねえ。」

　私は驚いた。

「お母さんが、あまりにも他の人にかまけすぎて、それから、ちょうどその頃、一時期なんだかお母さんのとりまきが毎日家に来るようになって、宗教団体みたいになってしまったことがあるのよ。それで、家出しようと思って、鞄《かばん》に荷物みんな入れて、バスターミナルに行ったの。でも、まだ小学生だったから、どこに行きたいとか何もなくって、どこに行くバスがあるのかなあと思って、じっと見ていたの。そうしたら、あのおばあちゃんが寄ってきて、お花をくれた。白い花ばかりの、手作りの地味な花束を。小さいリボンがしてあって『遠くにひとりで行くのはもう少し大きくなってからにしなさい。今、家に帰りたくなければ、おばあちゃんちに来るか？』って言ってくれたの。ひとめでちゃんとした人だってわかったわ。目が、こわいくらい澄んで、強く光っていたの。私は家出が見透かされたのがちょっと恥ずかしかったので、花だけもらって帰って花瓶に生けて、枯れるまでずっと飾って置いた。誰でもいいから自分を見てほしかったから、嬉しかった。お母さんのとりまきにとって私はじゃまもので、それを毎日うんと感じさせられていたから。」

「そうやって、小さな奇跡を毎日起こしていたんだねえ、誰にも知られずに。あの、おばあさんは。」

　私は言った。

「ところでそのとりまきは、どこへ行ってしまっていたの？　あの、うちのお父さんとめぐみさんがつきあいだした頃には。」

「その直後に、お母さんが、うっとうしくなって、追いだしてしまったからもういなくなっていたわ。だって、毎日煮付けとか持ってくるんだもん。掃除とかもしてくれるんだけど、お母さんの部屋だけで、私の部屋はしてくれないの。冷蔵庫の中のおいしいものをお茶うけとして食べちゃうし。で、いろいろ質問して、ただでいろいろ聞き出そうとするの、その人たち。なんか心がすごくいやしい人たちだった。」

まるで今起こっていることみたいに、るみちゃんは腹立たしそうだった。

「そりゃあ、災難だったね。」

「昔のことよ。今ではお母さんもすっかり自信がついて、そういう人を寄せ付けなくなったから。それより、そのみつるくんっていうのとはどうなの？　恋愛関係になりそう？」

いつになく俗っぽい調子でるみちゃんが言った。

「今のところ、そういう気配はないなあ。」

私は言った。

「何もなかったとは言わせないよ。」

るみちゃんはにやにや笑った。

「何でそう思うの？」

「顔のまわりの色で。」

るみちゃんは言った。

「何それ！ 勝手にそんなもの見ないで！」

と私は言った。

「いいじゃない、そいつと結婚して、このへんに住みなよ。楽しいよ！ 保育園の職はいつでも用意されているし、そうでなくても、おばあちゃんそろそろ引退したいんじゃない？」

「ううん、ますますやる気でいっぱいよ。生きがいのように毎日ランチのメニューを考えているみたい。この間なんて新しいケーキを開発していた。ヨーグルトのタルト。おいしいから、こんど食べに来てね。」

「でもさ、もう過去に未練はないんでしょ？」

るみちゃんは言った。

「うん、いずれにしても、あの部屋は売るつもり。勝手に売ってしまうことにしたの。名義はみんな私に変更されているし。」

「その手切れ金を元手に商売をやれば？」

「そんなに高く売れないよ、あんな小さい部屋。」

私は言った。

「ところで、もうすぐお父さんが帰ってくるから、みんなで食事でもしない？　いやでなければ。」

「私のお父さんになりそこなったあのおじさんか……なつかしいわね。でも、そこでまた三人で会って、つながりをつくっちゃったら、ますますもう帰ってこないではいられなくなるね。」

るみちゃんはにやにやした。

「こっちで結婚か。スキーのインストラクターって、女にもてるんだってね、ずっと苦労が絶えないかもね。」

「誰もそこまで思ってないって。」

「姑 つきか……。そして、バスターミナルの神様のひ孫を産むのね！　もちろんうちの保育園に入れてくれるわよね。」

「なんだかるみちゃんに言われると、その全《すべ》てがまるで楽しいことのように思えてきてこわい。」

「あと一息だ。」

るみちゃんは言った。

「いったいなんなの?」

私は言った。

「だって、帰ってきてほしいんだもん。」

るみちゃんは笑った。

その時、私はまたふわりと何かに包まれた。

「いらない、もう必要なくなった」そういうはっきりした言葉を言われないまま、愛する人に、東京でのたったひとつのつながりだったもの全てに、ぽいと放り出されたみなしごだった私の心を、そういった言葉たちはここに来てからいつでも、ほっこりと、ふわりと包み続けた。

本当に帰ってこようかな、と思いながら、お皿を洗って後かたづけをしていたら、いつのまにかるみちゃんは床につっぷして寝ていた。

これからまだ相談しようと思ったのに、全くもう！　と思いながら、とりあえず私はるみちゃんにふとんをかけてあげた。

むにゃむにゃ言って仰向《あおむ》けになったるみちゃんは、また低くいびきをかいていた。

しかも、足でもう片方のふくらはぎをごしごしかいている。

この感じ、デンマークの彼氏は受けいれているのだろうか、と思いながら、水虫があって、足の爪《つめ》の塗り方がものすごく下手くそでペディキュアがはみだしていて、寝相の悪いるみちゃんを優しい気持ちでじっと眺めた後、私は片づけに戻っていった。

お風呂《ふろ》がわいたら、お茶をいれて、起こしてあげよう。それで足の爪を、長持ちするようにきれいに塗り直してあげよう。

あとがき

本当に久しぶりに書いた、全くの、青春小説どまんなか！　の作品です。

自分がまいっていた時期に書きはじめたので失恋の場面がどうしても書き進められず、いったん中断し、復活してからまた書こう……と思っていたら、勝手に、お話のほうが勝手に天から降ってきました。

私はこういう寒そうな地区に住んだことがないし、ずっと東京にいるのでふるさとに帰る気持ちもよくわからないし、地域の共同体にも決してなじめないタイプなのに、私の知らないことを私が勝手に書き、主人公が勝手にそこでかわいらしく癒《いや》されていくので驚きました。

それなので自分が書いたという気がどうもせず、だからこそ人ごとのように読んでみたとき、なんとなく気持ちがほっとするような小説になったような気がします。特にすぐれた小説でもないし、何ということもない内容ですが、ところどころとても好きなところがあります。

これは、多分、おとぎ話のようなものなのだと思います。

だから、どうにもほっとできない気持ちの中にいる人が、ふと読んで、何のメッセージを受け取るでもなく、ただちょっとだけ苦しみのペースを落とすことができたらいいな、と思います。

とても長く待たせてしまったのに、いつも熱く強く見守ってくださった根本昌夫さんに、この小説を捧《ささ》げます。

この小説が書けたことについて唯一《ゆいいつ》思い当たるのは「どんなものを書こうか?」と悩む一番楽しく苦しい時に「これは根本さんに渡す小説だから」と必死で根本さんのことをイメージしていたら、何回も冬の澄んだ冷たい空気と、冷たい川の水と、広がる畑と、山の風景が見えてきたことです。そのぴりっとした雰囲気がこの小説の要《かなめ》だと思うので、多分、根本さんの心象風景が、私にこの奇妙に優しい小説を書かせてくれたのだと思います。どうもありがとうございました。
そしてこの本を作るのに関わった、全《すべ》てのスタッフに感謝します。

よしもとばなな

文庫版あとがき

もしも自分がほんとうに弱っていて、でもそれが病気や事故など命に関わることではなくって、そんなことでこんなに弱っている自分も情けない……という気持ちのときにこんな小説をだれかが書いてくれたらいいな、と再読して人ごとのように思った。そういう小説だと思う。弱っているときにしか価値がないともいえるが、弱っているときにじんわりとしみてくる気がする。

単行本時に編集に関わってくださった根本昌夫さんの大きな存在なくしては書けなかった小説です。ありがとう。

そして増子由美さんもこんな珍しい色の表紙をありがとう。私たちが出会った孔雀《くじゃく》茶屋《ちゃや》の店長であった故柿沼徳治さんは、この表紙の相談を柿沼家でしているときはまだ生きていらしたのですね。みんながいつまでも健康で会えると思いこんでいた、最後の無邪気な会合でした。そういう意味も含めて、この茶色は大切な色でした。増子さんがこの表紙はこんな感じ？と持ってきた羽根入りのスカーフを見て、柿沼さんも奥さまも「きれいだね」とおっしゃっていたのが忘れられません。

文庫になるまでずっと大事にこの小説を思ってくださった新潮社の松家仁之さん、望月玲子さんにも御礼申し上げます。そして編集作業を手伝ってくれた加藤木礼さん、加藤久美子さんも、ほんとうにありがとう。おかげさまで大事な本が小さくかわいくなって戻ってきました。幸せなことです。

よしもとばなな

2006年春

この作品は平成十五年一月新潮社より刊行された。

吉本ばなな著

とかげ

私のプロポーズに対して、長い沈黙の後とかげは言った。「秘密があるの」。ゆるやかな癒しの時間が流れる6編のショート・ストーリー。

吉本ばなな著

キッチン

海燕新人文学賞受賞

淋しさと優しさの交錯の中で、世界が不思議な調和にみちている――〈世界の吉本ばなな〉のすべてはここから始まった。定本決定版！

吉本ばなな著

アムリタ（上・下）

会いたい、すべての美しい瞬間に。感謝したい、今ここに存在していることに。清冽でせつない、吉本ばななの記念碑的長編。

吉本ばなな著

うたかた／サンクチュアリ

人を好きになることはほんとうにかなしい――運命的な出会いと恋、その希望と光を瑞々しく静謐に描いた珠玉の中編二作品。

吉本ばなな著

白河夜船

夜の底でしか愛し合えない私とあなた――生きてゆくことの苦しさを「夜」に投影し、愛することのせつなさを描いた〝眠り三部作〟。

よしもとばなな著

なんくるなく、ない

―沖縄（ちょっとだけ奄美）旅の日記ほか―

一九九九年、沖縄に恋をして――以来、波照間、石垣、奄美まで。決して色あせない思い出を綴った旅の日記。垂見健吾氏の写真多数！

新潮文庫最新刊

宮城谷昌光著
青雲はるかに（上・下）
才気煥発の青年范雎が、不遇と苦難の時代を経て、大国秦の名宰相となり、群雄割拠の戦国時代に終焉をもたらすまでを描く歴史巨編。

乃南アサ著
二十四時間
小学生の時の雪道での迷子、隣家のシェパードの吐息、ストで会社に泊まった夜……。短編映画のような切なく懐かしい二十四の記憶。

幸田真音著
日銀券（上・下）
バブル崩壊後の日銀が抱えた最大のテーマ、ゼロ金利政策解除の舞台裏を徹底取材。世界経済の未来をも見据えた迫力の人間ドラマ！

高杉良著
明日はわが身
派閥抗争、左遷、病気休職――製薬会社の若きエリートを襲った苦境と組織の非情。すべてのサラリーマンに捧げる渾身の経済小説。

北村薫著
語り女たち
微熱をはらむ女たちの声に聴き入るうちに、からだごと、異空間へ運ばれてしまう17話。独自の物語世界へいざなう彩り豊かな短編集。

柴田よしき著
ワーキングガール・ウォーズ
三十七歳、未婚、入社15年目。だけど、それがどうした？　会社は、悪意と嫉妬が渦巻く女性の戦場だ！　係長・墨田翔子の闘い。

ハ ゴ ロ モ

新潮文庫　よ - 18 - 16

平成十八年七月一日発行
平成十九年四月十日五刷

著者　よしもとばなな
発行者　佐藤隆信
発行所　株式会社 新潮社

郵便番号　一六二―八七一一
東京都新宿区矢来町七一
電話　編集部（〇三）三二六六―五四四〇
　　　読者係（〇三）三二六六―五一一一
http://www.shinchosha.co.jp

価格はカバーに表示してあります。

乱丁・落丁本は、ご面倒ですが小社読者係宛ご送付ください。送料小社負担にてお取替えいたします。

印刷・二光印刷株式会社　製本・加藤製本株式会社

ISBN978-4-10-135927-4 C0193